新潮新書

中川淳一郎
NAKAGAWA Junichiro

過剰反応な人たち

1010

新潮社

本書は『週刊新潮』の連載「この連載はミスリードです」（2022年5月～23年6月）や「デイリー新潮」（23年5月配信）を加筆・修正したものである。

まえがき

はぁ〜、この3年半、疲れましたわ。２０２３年8月8日にこの原稿を書いていますが、本当にコロナアホ騒動に疲れました。なんとなく終わりは見えてきたものの、これまで危機感を煽ってきた医者・専門家・メディアは「第9波が来た！」「小児科がヤバい！」「沖縄は医療逼迫だ！」と未だに煽りをやめない。

２０２３年初頭、体感値でマスク着用率99・7%だった時に「『カンセンタイサクの徹底を!!』『他のお客様の安心・安全のため、鼻まで覆うマスクの着用をお願いします』とやり続ける日本にはいられないわ……」とばかりに、タイ・バンコクへ「疎開」。

コロナの感染症上の分類が「２類相当」から「５類」に移行した5月8日、前日までコロナ対策禍絶賛継続をしていた日本にバンコクから戻りました。４月29日にいわゆる「水際対策」が終了し、ワクチン３発接種or陰性証明提示という入国条件が解除されたので。ええ、私はワクチン、１発も打っていません。そして日本に戻ってきたら公共交通機関やスーパー等、各種施設でマスク着用を求める貼り紙は撤去され、アナウンスも終わりました。しかし、まだコロナ煽りをやめないヤツらがいる。つーか、５月７日と５月８日、何が違うんだよ。専門家連中が言うようにウイルスの性質は変わらないが、制度と「空気」が変わっただけだろ。

結局、「とんでもなくヤバい死のウイルスが来た！　マスクとワクチンで防げます！　両方を忌避する人間は公衆衛生の敵です！」と言い続けてきた連中がメンツを潰されたくないために続けているだけの状況です。しかし、「コロナは怖い死のウイルス」という設定を信じ続けた無辜の民は律義にマスクを着け、６回目のワクチンを打った。

もう、やめませんか？　人に感染するコロナウイルスって６種類が知られていて、今回の新型コロナウイルスは７つ目です。元々「風邪」と呼ばれていたものを「死のウイルス」という設定にした結果、全世界が混乱に陥り、各国は２０２２年初頭には「もうこんなもんいいわ、これ以上対策を続けるアホ人生なんていらん！　日常に戻るわ」とやったのに、日本はそれから１年半後も「えらいこっちゃ、ヤバい！　死ぬ！　マスクとワクチンを！　早く７回目を打ちたいです！　若者にも打たせてあげてください！」とやり続けている。

本書は、コロナを含めて世の中、いかに過剰反応な人たちが多過ぎるかを克明に書いた記録であります。人間とはいかに愚かで、「自分だけが正しくて他人は全員無能」と考えているかが、この3年半の長きにわたって続いた新型コロナ騒動でよく分かりました。

もちろん、その時々の社会の空気感についての批評も行った記録ですが、人間は、特に日本人は「空気」に左右されて他人と同じ愚行を犯す傾向があります。太平洋戦争がもっとも分かりやすい例ですが、なんで日本がアジアを制覇し、アメリカに勝てると思っていたんですかね？　今回のコロナアホ騒動でもそうですが、日本人は「コロナは感染対策の徹底により撲滅できる」と信じた。まさに竹槍でB29を落とす感覚ですが、ウイルス様は人間の知恵を超えた自由な存在。簡単にマスクなんてすり抜けて感染します。

しかし、テレビを中心としたメディアに登場する専門家軍団は「対策をすればコロナは撲滅できる。カンセンタイサクのテッテーをー！」と呼びかけ続けた。で、23年8月、マスクを外す人は増えましたが、何か変わりましたか？

人々は周囲を見ながらマスクを外し、マスク着用率は徐々に下がっていく。えぇとぉ……、オミクロン株が発見された21年11月と今は何が違うんですか？　当時からマスクをせずワクチンも打たなかった私は今でも元気ピンピンでイカ釣りに行ったり、新しく知り合った人々と飲みに行ったり、遊びまくり続けたのですが。

結局、自身の言ったことを否定されたくない専門家、医師、政治家、メディアが引っ込みがつかなくなって超過死亡激増やら若者の自殺激増、子供のいじめ増加等の悪影響には目をつぶり、自説を曲げずなんとなく終わらせようと考えているのです。コロナを終わらせたくない専門家やツイッター（当時、後にXと改称）の医クラ（医療従事者クラスター）は、23年4月から「第9波」の到来について言及。しかし政府は7月に入って第9波との認識がないことを示しました。梯子を外しにきた形です。でも遅いわ。22年夏の第7波の前に、いちいち陽性者数を数えるのをやめていれば、その時に終わっていたんだよ。

正直、私はここまで日本人がアホだったとは思っていませんでした。20年に約３５００人が亡くなったこのウイルスを恐怖の殺人ウイルスと認定し、ステイホーム、マスクの着用を！　ワクチン様が救ってくれる！　ソーシャルディスタンス！　密です！　とやり続けた。結局すべてが「お守り」「お祈り」程度のものだったわけで、アホを洗脳するのがここまで簡単だったとは……と愕然としたのであります。

それでは過剰反応な人たちの見本市へようこそ。

過剰反応な人たち　目次

PART V

PART I　それって過剰反応では

ニューノーマルという時の流れ

2020年以降、「ニューノーマル」「新しい生活様式」という言葉が何度も取沙汰されました。具体的にはマスクの常時着用、店に入る時はアルコール消毒、リモートワーク、給食は「黙食」、ソーシャルディスタンス維持、時差通勤、不要不急の外出自粛、親が死にそうな時も面会不可、葬式も少人数で、イベントでは人数制限の上、マスクをして拍手のみで応援、といったところでしょうか。

それにしてもつまらねぇ人生!! なんじゃ、コレ(笑)。

しかし、我々は常にニューノーマルな人生を送ってきたのではないでしょうか。2008年以降、スマホが普及してから完全にそうです。電車の中の風景は以前はガラケーを見ている人が時々いて、雑誌や書籍や新聞を読んでいる人はそこそこいた。しかし今やほぼ全員がスマホの画面を見ている。決済もQRコードで行ない、LINEなど無料で通話ができるようになったほか、不倫の証拠もメッセンジャーのやり取りから時系列で簡単に暴くことができるようになった。

瓶ジュースが主流だった時代は、酒屋へ瓶を返しに行き、お金をもらっていました。しかし、缶ジュースが主流になるとそこら辺にポイポイ捨てるようになり、ジュースは一度に全部飲むものへ。だから250ミリリットルや350ミリリットルが多かったのですが、ペットボトルが主流になると、いつまでも少しずつ飲めるため500ミリリットルが増えた。他にもニューノーマルには以下のようなものがありました。

「公衆電話→携帯電話」「固定電話は不要」「日本人プロ選手（野球・サッカー）は日本国内でプレー→海外にも進出」「エロ本→エロビデオ→エロネット画像→エロネット動画＆エロ生実況」「テレビを決まった時間に見る→VHSで保存→HDDで保存→オンデマンド放送で見る」「改札の切符切り→自動改札→電子カード」「電車内で喫煙可→禁煙→ありとあらゆる場所で禁煙」「ゲーム好きは不良→ゲームは皆のもの」

これらはいずれも、ある基準によれば便利になったり改善されたりしたわけですが、明らかにコロナをめぐるニューノーマルは人間的な生活にただ制限を与え、つまらなくしただけです。まぁ、ニューノーマルをやりたい人はお上や専門家が言う通りにすればいい。こちらはそんな人生、まっぴらです。しかし、これまではニューノーマルだの新しい生活様式だのとは言わずに、「時代の進化」「より便利な社会」などと言われていました。これらは肯定的なニュアンスの言葉ですが、ニューノーマルと新しい生活様式は「前とは違う世界だがこの不便さを受け入れろ」というニュアンスがあります。だから私は断固として反対したい。なんで旅行できないの？　なんで黙って給食食わなくちゃいけないの？　なんで死にそうな親を看取れないの？　マスクをしていない人間が施設に入ったら従業員がなぜそこまで必死に追っかけて強制的にマスクを着けさせようとするの？　新型コロナワクチン打ってない人は、なんで旅行の特典受けられないの？　ワクチンパスポートなんてものも導入しましたよね。人間の尊厳もクソもないでしょうよ。

ニューノーマルはむしろ冷戦後の世界のありようを意味するNWO（New World Order）における陰謀論に近いかな、とも思います。世界トップのエリートによる管理社会、の意味ですね。私はこの陰謀論を信じませんが、実際コロナにおける陰謀論的ニューノーマルはキチンと実現できた。かつて西アフリカの奴隷は土や作物を食べないようマスクを着けさせられましたが、これは支配層による強制です。今の日本も同じですよね。マスクをしていないと移動も施設利用もできないし、学校でも常時装着が要求された。「15分以上マスクを着用せずに会話していた相手がコロナ陽性になった場合は『濃厚接触者認定』を食らう」という非科学的なルールが存在しました。そのため、各所の学校で「簡易給食」が提供されました。埼玉県戸田市では、菓子パンとジュースだけの給食が提供され、なんとか14分59秒までに給食を終わらせようとしたのです。

しかし、陰謀論型ＮＷＯは海外では脱却できたのに、支配層になれない日本にだけニューノーマルが根付き続けているのは皮肉です。（2022/06/30）

◇２０２３年5月、コロナは5類へ移行。法的には〝格下げ〟ですが、マスク着用やワクチン接種をめぐって、これまでたくさんの議論、炎上がありました。願わくばマスクを外して言いたいことが言える、普通の世の中であってほしいものです。

美観を汚す環境テロへの「?」

環境活動家ってアレ、本気でやってるんですかね? ロンドンの美術館で活動家がゴッホの「ひまわり」にトマトスープをかけるという暴挙に及び、世界的に注目されました。ただの目立ちたがり屋にも見えるんですよ。だって、この人達って先進国の人間であり、散々エネルギー使ってます。その後も、ローマのトレビの泉に黒い液体を流したり、ベネチアの運河に蛍光色の染料を流して抗議する活動家が登場しました。

スウェーデンの活動家・グレタさんにしても目立つことばかりやっている。国連会議のため大西洋をヨットで横断しましたが、毎回、ヨットで何週間もかけて非現実的な移動をしているのでしょうか。日本でも愛知の環境活動家が子供達を引き連れて東京・新宿で街宣をしていましたが、絶対、車か電車で移動していますよね。そもそもあなたが着ている服、プラスチックでできているんじゃないですか?

私が決定的に環境活動家をうさんくさいと思ったのは、「ウミガメの鼻にプラスチック製ストローが入っている」写真と、「レジ袋が海洋汚染に繋がる」という2点をもってプラスチックの削減を訴え、実際にレジ袋を有料化させ、さらにはコンビニのスプーンの有料化まで検討させた件です。それに、私が大学入試をした1993年、小論文で予備校講師が「地球温暖化について懸念を示せば通る」と助言した件。あれから29年経っても延々と地球温暖化への懸念を示し続けている。

そしてこうした環境活動家による活動の成果により、無事レジ袋は有料化されました。めでたしめでたし。

んなワケねーだろ！　レジ袋が有料化された2020年7月1日以降、スーパーやコンビニの従業員は「レジ袋は必要ですか？」「マイバッグはお持ちですか？」という余計な一言を言わざるを得なくなった。

そして、コロナ騒動のせいでレジにはビニールカーテンが設置され、何を言っているのかが聞こえない。「えっ？」と聞き返すことが増えました。そのうちに、互いに大声をあげて「レジ袋いりますか！」「あぁ、いらないです！」と飛沫飛ばし合戦に。

ＳＤＧｓに熱心な方はぜひとも批判して頂きたいのですが、コロナ騒動開始からアクリル板とビニールカーテン、大量に導入されましたね。不織布マスクも石油由来です。毎日道に落ちているのを見ますし、皆さん、毎日新しいものを使ってせっせとプラスチックゴミを増やしていますね。

なんでレジ袋がそこまでヤバいんですか？　コロナ騒動が終わったらアクリル板なんて大量の産業廃棄物になるのは目に見えています。日本全国で大普及し、メーカーはテレビCMを大々的に打つほどになりましたが、ゴミになった時、きちんとその量を検証するとは思えません。ちなみにコロナ5類化以降、アクリル板をどう廃棄するか悩む事業者が報じられました。そんな時、アクリル板を名刺やイヤリングに加工する会社が登場。汚いな。

結局、環境問題ってフィーリングなんですよ。私が就職活動をした時も「環境問題に興味があります」と言えばなんとなく通る雰囲気があり、学生はそれを言いまくった。そして今、ファストフードやコーヒーチェーンでもストローを紙にする流れがありますが、なんかおいしくないんですよ……。大塚製薬のポカリスエットも環境のため、リターナブル瓶を導入し、返却したら70円を返す、とやりましたが、あまりにデザイン性に優れていていてインスタグラムにUPするため返さない人が多いそうです（笑）。

（2022/12/08）

◇エコテロリストといえば、かつては捕鯨船に乗り込む直接行動で知られましたが、ローマでトレビの泉に黒い液体を投げいれるなど、最近は美術品や史跡をターゲットにした間接的アピールが流行り(はやり)のようで、どこか「なんで?」感がしてしまいます。そういえば、インリン・オブ・ジョイトイって「エロテロリスト」って言われていたな。

ガイドラインゆえの手ごわさ

「文科省のガイドラインに従っています」「国交省・厚労省によるガイドラインがないと困ります」――これらは新型コロナ騒動以降、教育委員会や学校、そして各種公共交通機関・商業施設で散々言われてきた「感染対策」への意見・要望です。

今回はこの「ガイドライン」という言葉について考えますが、ガイドラインってあくまでも「指標」「参考」ですよね。すっかりこの言葉が嫌いになりました。強制力は一切ないのに、水戸黄門の印籠のごとき絶対性を有するようになった。個別の店舗や施設は独自の対策をすればいいのに、とにかく「指示待ち」であり続けた。

「ガイドラインってことは法律ではないから罰則ないですよね。じゃあ従いません」というのが使い手側の正論なのですが、この3年間のコロナ騒動下、完全に法律と同等あるいはそれ以上のすさまじい効果を発揮した。ガイドラインってそんなにすごい強制力があったんだ！　と思ったものです。それと同時に「ガイドライン」の一言で大衆を屈服させるのが可能であることも分かりました。

たとえば、駅の改札口に立つ門番（鉄道会社社員）が「お客様、マスクの着用をお願いします」と言った場合、していない客は「それは任意ですよね」と反論します。すると門番は十中八九、「国交省のガイドラインに従っています」と言う。これでほとんどの人は引き下がり、マスクを着けます。

しかし、それに対して「なんじゃ、ワレ！」と思った人はその場で国交省に電話をし、「駅や電車でマスクをするよう交通機関に強制させているのか？」と聞くわけです。おそらく役人は「そんなことはありません」と答えるでしょう。そして「国交省の担当者は強制はしていないと言っています」と改札の門番に伝えると、「どうぞお通りください」となる。

要するに、波風立てたくない現場がガイドラインとやらを盾に無難路線に突き進んだだけです。ガイドラインを読んだうえで、「とにかく感染対策を徹底させ、特にマスクをしていない人間を排除すればいいんですね！」ということになったのです。

ガイドラインが日常に持ち込まれたらヤバいですよ。何しろいくらでも拡大解釈が可能ですから。厚労省が健康増進のため、「居酒屋における飲食ガイドライン」を作ったとしましょうか。内容としては「過度な飲酒をする客がいた場合は状況を確認し、場合によっては追加の提供をやめる」程度になるのでは。明確な基準はないのに、店側が「健康のため生中は3杯まで。痛風が怖いため、プリン体が多いあん肝を頼んだ場合、レバーや魚卵類は追加注文禁止」とか独自のルールを言い出す。やめてくれ。

結局「ガイドライン」とは責任をとりたくない現場と「一応指導はした」と言いたい当局の利害が一致しただけで、「ワシはガイドラインを示した」「ワシはガイドラインに従った」というこの両者の立場を守るもの。ユーザーのためではないのです。他責の念が強い日本人とガイドラインはけだし相性が良過ぎました。しかし「週刊誌原稿執筆ガイドライン」がなくて良かった。何も書けなくなる。（2023/03/09）

◇命令ではなくても法律と同じような効果をもってしまうのは、同調圧力の強い国ならではでしょう。1989年の昭和天皇崩御のときも、2011年の東日本大震災でも「自粛」が相次ぎました。周りを見て自分もやめるのは、日本人にしばしば起こる現象です。

盆踊りは「邪教のミサ」か

1977年に開始し、現在は3万5000人が参加するというマレーシアの日本人会主催の盆踊りで、同国閣僚による不参加の呼びかけがあったそうです。「宗教担当」で「全マレーシア・イスラム党所属」のイドリス首相府相が盆踊りには仏教の影響があると指摘したのだとか。

当地の日本人会のHPを見ると、イスラム教徒の女性が着用する髪の毛を隠す「ヒジャーブ」を巻いて浴衣で踊る女性と、ヒジャーブを着けていない女性が並ぶポスターが公開されていました。さらに右側にはおでこに点が描かれた褐色の女性も浴衣を着て踊っています。あっ、ヒンズー教徒の女性がおでこにつける印「ビンディ」ですね。

これだけ多様性に配慮したイベントでしかも歴史があり、多くの人が参加するのにイドリス氏は「邪教のミサには参加するんじゃねぇ」と物言いをつけたわけですね。外務省のデータには、マレーシアの宗教人口の割合はこうあります。

〈イスラム教（連邦の宗教）（61・3％）、仏教（19・8％）、キリスト教（9・2％）、ヒンドゥー教（6・3％）、儒教・道教等（1・3％）〉

これは、民族と関連がありそうです。

〈マレー系（69・6％）、中国系（22・6％）、インド系（6・8％）、その他（1％）〉

イスラム教徒が多数派なのは理解しますが、仏教と関係のある盆踊りには参加するな、ってこれは新しい発言です。そもそも私は盆踊りを仏教イベントと捉えたことは人生約49年で一度もありません。もちろん、先祖を迎え入れる「お盆」と関係しているのは知っていたものの「宗教行事」と捉えたことはなかった。

なにせ「東京音頭」なんて「踊り踊るなーら、ちょいと東京音頭」「花の都の真中で」と単に酔っ払いがタコ踊りしているようなただただ呑気でフィーバーしているだけの歌詞じゃないですか。

9・11の米同時多発テロの後、イスラム教がいかに寛容な宗教か、とイスラム教を擁護するような書籍の編集に携わったことがあります。その時、取材した研究者達は「イスラム原理主義者とイスラム教徒は違う」としきりに言い、私もその主張を書きました。

あれから21年後、盆踊りを邪教の儀式扱いするマレーシアの閣僚、全然寛容じゃないですよね。私はイスラム教で許された「ハラール」の食材（禁豚肉が代表的）を使う店に行き、美味しいと思い、リピートもしました。そして、アフガニスタンとパキスタンというイスラムの国でもその国の食べ物を食べました。

私自身がどこの宗教にも属していないからこのようなことができたのかもしれませんが、今回のイドリス氏は私の行為をどのように捉えるのか？「イスラム教徒ではない人間がハラールの食材を使った料理を食べるとは許せない！」となるのか？　それとも「ハラール食材を食べるこの無宗教者は立派である！」となるか。

同氏は日本で仏教由来の精進料理（ハラール対応）を食べるイスラム教徒に対しては何と言うのですかね？　しかも彼らは日本で、教義に従って土葬を求めています。なんなんですか、この自分本位っぷり。（2022/07/21）

◇日本に長く暮らす外国人の数はこの20年ほどで1・6倍に増え、現在はざっと300万人弱。とくに増えているのはベトナム、次いで中国ですが、今後は日本で亡くなる外国人も増えてくるでしょうから、宗教の違いが話題になることも増えるのでしょう。

コオロギ憎けりゃ太郎まで……

「Pasco（パスコ）」で知られる敷島製パンのツイッターが２０２３年２月17日から、本稿を書いている２月27日まで更新されていません。理由は炎上を恐れているからでしょう。

何があったかといえば、同社がコオロギの粉末入りパンを前年に通販限定で発売したことが今になって広がったのです。コオロギ粉末のことを隠して販売したワケでもないのに、同社のツイッターには非難の意見が多数書き込まれ、不買宣言まで出現。ツイートを復活させる際にも、批判の声が殺到すると思われます。

この炎上の過程で２０２０年12月に「Ｋｏｒｏｇｉ　Ｃａｆｅ」というコオロギ粉末入りブランドを発売していたことが明るみに出て、「そんな前からやっていたの……」などと言われました。発売当時、Ｊ－ＣＡＳＴニュースが同社に販売意図を取材したところ、以下のように答えました。
〈世界人口増加に伴い、早ければ2030年頃に世界的なたんぱく質不足が予測されています。その対応として、地球に優しい次世代のたんぱく源候補の一つである昆虫食に着目しました。その中でも、コオロギは育てやすく味が良いことから人気となっています〉

同社は悪いことをしたワケではないのですが、世の中にはコオロギ食に反対の声が多すぎる。日本は「空気感」というものが世論を作り、人々の行動様式に影響を与えますが、コオロギ食は抵抗が強すぎました。他にもコオロギ関連商品を出している会社は無印良品やファミリーマートなどがあるのですが、パスコは「超熟」シリーズのコンセプトとして「余計なものは入れない」を掲げています。何かと添加物が批判される同業他社との差別化がここにあったのに裏切られた気持ちになったのでしょう。

なぜコオロギをここまで憎む人がいるのかといえば、まず、その色形がゴキブリに似ていることがあります。あとは新しいものに対する反発もあります。ヴィーガンは昔からネットで反発をくらいがちな存在。勝手にやる分には構わないのですが、肉を出す店の営業を妨害するような過激な人も時々いるので、そこに似た感覚を持ったのかもしれません。さらに、ＳＤＧｓ文脈へのうさんくささを感じる人もそれなりにいるのでしょう。「上級国民は肉を食べて下級国民は虫を食えってか?」という反発もあります。

そんな中、「ヤマザキ」がツイッターのトレンドに入りました。それを見ると、スーパーの棚でヤマザキパンはよく売れているものの、パスコのパンは売れていないと写真つきで投稿されています。たまたまこうなっただけかもしれませんが、パスコ憎し！の人々にとってはどうでもいい。「コオロギパンを発表したせいだ」「我々の不買運動が効いている」と考え、ますます勢いづきます。

余波もあり、コオロギ食を憎む人々は河野太郎デジタル相が２０２２年にコオロギを食し「おいしかった」と感想を述べた記事を発掘。晴れて河野氏に対しては「デマ太郎」「ブロック太郎」に続く「コオロギ太郎」というあだ名が誕生し、ツイッターでトレンド入りしたのでした。「ブロック太郎」の由来は、自身と意見の異なるツイートをする人や、自身を批判する人は軒並み華麗にブロックすることにあります。ワクチンとマスクに疑問を抱いた人はブロックされます。ええ、私も当然ブロックされています。

（2023/03/16）

それにしても「声出し応援」が問題視されているのってファンはいいの？　チケット代は以前と変わらないのに、制限だけかけられている。ホームランを打ったりゴールを決めた時に歓声をあげることが憚られるって、「チケット30％安くしろ、オラ」と言いたくならないんですかね。「こんなご時世なのに野球を見られてワシ、嬉しいですだー！」みたいな飼いならされた家畜状態でしょうよ。

阪神タイガースと浦和レッズのファンが大声を出していた様子を相手チームのファンから動画撮影され、後にツイッターで拡散され「許せない！」となる。レッズについては２０２２年５月21日の鹿島アントラーズとのホームゲームで「声出し応援」があったということが問題視されました。ＮＨＫの報道によると「こうした状況を踏まえて野々村チェアマンはリーグの規約で定めているクラブの管理責任を問い、チームに科すことができる上限である２０００万円の罰金を裁定委員会に諮問する方針を明らかにしました」。

すごいですね、コレ。「声を出したら罰金の対象」って。レッズサポーターは「じゃあ、行かねぇ」と無言の抵抗をしないのが不思議でたまりません。（2022/07/28）

◇いよいよプロ野球でも、23年のシーズンから声出しが解禁されました。ただ、甲子園名物であるラッキーセブンのジェット風船はまだNGな状況が続いています。風船メーカーと販売店の売り上げが心配です。

迫害され続けた「祭り」

日本の祭り、いいですね～。2022年の11月2日・3日・4日とユネスコ無形文化遺産・唐津くんちが3年ぶりにフルで開催されました。もう翌年が楽しみなぐらい、良い3日間を過ごしました。いや、3日間だけではない。10月に入ってから唐津の街では夕方になるとどこか物悲しい笛の音と威勢の良い太鼓の音が聞こえ、本番間近を感じられます。商店にはポスターが貼られ、スーパーでは振る舞い酒が売られ、1ヶ月間、唐津は全体的に高揚していくのです。

色々な人から「ウチにおいでよ」「店を借り切ったから一緒に飲もう」と言われ、2階の特等席から巨大な曳山が「エンヤエンヤ」と曳かれていく様を見ました。初日の

「宵曳山」、点灯式で灯りが点いた瞬間の様子は鳥肌が立ちました。それぞれの曳山が所属する町では、亡くなった町民の家の前で遺族が遺影を掲げ、泣きながら笛を吹き、太鼓を精魂込めて叩く。これには私も思わずもらい泣き。いやぁ〜、素晴らしかった。

さて、祭りはこの2年10ヶ月、散々悪者にされました。最近では8月の阿波踊りです。この開催を巡っては、関与を外れた徳島新聞が阿波踊りをコロナ陽性者増加の要因と叩く論陣を張りました。そういったことも受けてか、一部の医師が阿波踊りを「メガクラスターの発生源」的に叩きました。あの頃は全国的に増加傾向にあったので、阿波踊りのせいだとするのは無理がある。あくまでもフィーリングで叩くだけです。

結局、コロナについては目立つものが延々と叩かれ続けたのです。それらを振り返ってみて、ごく一部を挙げるとこんな感じ。タクシー、屋形船、ライブハウス、K-1、花見、音楽フェス「NAMIMONOGATARI」、帰省、東京五輪、だんじり、忘年会、成人式、卒業式、入学式、そして阿波踊り。

専門家と称される人々は「夏休みは移動があるため感染拡大する」と言ったかと思えば、「新学期が始まると人が集まるため新学期開始を遅らせるべきだ」と言った。あのさ、もう、2021年の段階で家庭内感染と病院・高齢者施設感染が多いって明らかだったのに、なぜいつまでも「悪者」の設定を変えられないのか。

そして、これらを叩いた人々はクラスターが発生しなかった場合はしれっと「なかったこと」にする。そして、次の悪者を探しに行く。これがもう2年10ヶ月も続いているのです。サンドバッグになった人々は損害賠償請求のしようがない。東京五輪なんて「殺人五輪」と呼ばれ、「世界中からやってくる人々によりハイブリッド型の極悪株が誕生する」と言われましたが、そんなことはなかった。無観客で開催ってなんのメリットがあったんだよ。

そして、もう一つ不思議なのが、「叩く空気感になったもの」を叩くことです。11月5日・6日に行われた「ぎふ信長まつり」は木村拓哉が武者行列に登場したこともあり62万人の観客で盛り上がりました。

しかし、メディアがジャニーズ事務所所属の木村を叩くことができないから、専門家らもこの祭りを叩けない。今から言っておくが、今後佐賀県でコロナ陽性者が増えた場合、唐津くんち、そして佐賀市のバルーンフェスタのせいにするなよ、藪医者連中め。

（2022/11/24）

◇祭りに限ったことではありませんが、単に人がたくさん集まる会ではなく、重要な通過儀礼として日本人の生活に深く根ざしているということが、コロナ禍では忘れられていたのかもしれませんね。

日本の過保護をガイジンと笑った夜

先日、アメリカ人男性、イギリス人男性、フランス人男性、セルビア人女性と日本人男性とで飲みました。大変愉快な会で、飛び出すジョークや皮肉も日本人同士ではなさそうなタイプのもので面白かった。行った居酒屋にはカエル焼きがあり、皆でウマいウマいと食べたのですが、注文段階ではこんな会話になります。

英「オレ達はフランス人のことを『カエル野郎』と呼ぶんだよ」
私「なんで?」
英「あいつらはカエルを食べるからな」

仏「ガハハハハ！」
私「この店にもあるってことはオレら日本人も『カエル野郎』なの？」
英「それはない。あくまでもフランス人だけだ」
私「じゃあ、イギリス人は『豆野郎』なの？」
英「豆はどの国の人間も食うからその揶揄（やゆ）は成立しない」

まったくロジカルではないのですが、この両国の「仲良くケンカする」的な感覚は分かりました。と思ったら突然フランス人がアメリカ人に「なんでお前らの国は毎度学校での銃乱射事件があるんだ？」と切り出します。これに対するアメリカ人の意見を要約するとこうなります。

「銃があることにより、強盗・レイプ・空き巣等を防ぐことができる。それでどれだけの被害を回避できることか。あと、銃による死因の1位は自殺であり、他人の命を奪うことではない。実際銃乱射事件が起きるのは、ブルーステイト（銃反対派が多い民主党支持者の州）であり、そうでなかったとしても民主党支持者が多い街。オレの父は警察官で銃は身近にあったが、だからこそ銃の使用方法については安全性を充分に学んでいる。

子供達にはおもちゃの銃であっても人に向けるな、と指導するほどだ」

このように理路整然と銃所持賛成派の意見を述べる。銃規制に賛成するか反対するかはさておき、アメリカ人のこのロジカルな説明、私は好きです。

会合のきっかけはツイッターでした。私は「現代ビジネス」というサイトに日本が「過剰アナウンス大国」であるとの記事を寄稿しました。ベースとなるのは哲学者・中島義道氏の『うるさい日本の私』という本です。同書は日本が無駄なアナウンスまみれなのを問題視し、公共交通機関や商業施設の様子をメモし、「この部分は不要だろう」と実際に担当者と戦った様を描きます。

この原稿が掲載された翌日、外国人が集うネット上のコミュニティでシェアされたようで、多数の英語ツイートで共感の声が書き込まれ、このうち何人かが私にメッセージを付けてきたのです。そして相互フォロワー関係になり、アメリカ人男性から「今度東京に来るなら飲もうぜ」とのお誘いがあったというわけです。

セルビア人女性は「私だけがあまりにセンシティブでおかしいのかと思っていたけど、日本人でも同じ感覚の人がいて安心した」と言っていました。彼女の夫が前出の日本人男性で、彼は「僕は生まれてからずっとアナウンスに慣れていたけど、彼女の違和感を聞いて以来同じような感情を抱くようになった」と言ってました。日本は好きだけど、日本社会には時々違和感を覚える人々の集い、盛り上がるわけで、3次会まで飲み続けたのです。

ちなみにこの日飲んだ場所は歌舞伎町ですが、道路では延々と以下のようなアナウンスが流れていました。

「最近マッチングアプリで知り合った女性に案内されて店に行き、その人は消えて高額の請求をされるトラブルが相次いでいます。事前によく調べたうえで店に行きましょう」

どこまで過保護なんだよ。（2023/06/08）

◇"Why Japanese people?" との叫びが聞こえてきそうです。ちなみにこの日来た人々は日本人の配偶者がおり、決して日本嫌いというわけではありません。違和感を覚える面もあるというだけです。

PARTⅡ　コンプラ全盛時代の違和感

セクハラ香川が謝るべきは

俳優・香川照之の「銀座クラブセクハラ事件」ですが、出演番組と数々のCM出演を降板する結果になりましたね。2022年9月2日、自身が金曜MCを務める朝の情報番組『THE TIME,』（TBS系）に、1日に収録したという約4分間のVTRで出演。「当事者の方々はもちろん、私の今までの人生全てにかかわってこられた方々の中で私が不快な思いをさせてしまった方々に対して、その方々全てにお詫び申し上げます」と述べました。

というか、謝罪会見や謝罪コメントで「不快な思い」という言葉はもはや古臭い偽善臭が漂うってこと、彼は知らなかったのですかね。あのね、謝罪の基本は「被害者に真摯に謝る」なんですよ。クラブの方々に謝るのは当然のこと、CMやドラマ関係の皆さんに謝るだけでいい。

今回の報道に対して「不快な思いをさせてしまった方々」の大多数というのは、香川とは関係のない一般の方々でしょう。別にその人達に謝る必要はない。なにせ実害がないのだから。「不快な思い」ってものは人それぞれなので、別に謝る必要はありません。「ホステスのブラジャーを取ってにおいをかいだ」という情報を知ったがために発生した不快感に対しては謝らないでいいです。ただ、あなたが見捨てられるだけです。

だから、この報道を見て不快感を覚えた人に香川は謝罪をする必要は一切ない。謝罪すべきは「不快な思いをした人」ではなく、「直接的な被害を受けた人」なのです。それこそ、銀座のクラブの皆様ですし、香川の仕事関係者です。

さて、ここでＣＭと芸能人の関係性について解説します。基本的にＣＭというものはイメージを上げるため、著名な芸能人やスポーツ選手を起用します。いうなれば、その人の知名度に乗っかるわけですね。正直、私自身、著名人が出ているからその商品を買う、ということはないのですが、世の中には「○○さんが出ているこのＣＭの商品買う！」と思う人も一定数いるのでしょう。だから延々と著名人がＣＭに出続ける。そして、広告代理店も「キャスティング候補」として、商品イメージに合致する著名人リストを提出する。その著名人が出ている新聞広告があることを知ったら、普段新聞を読まない人も新聞を買い、その広告をSNSに公開する。

　そんなことがあるだけに、広告主は、香川のこの醜聞を知った瞬間、青ざめたことでしょう。結果的に軒並み降板となりましたが、仕方がありません。彼が画面に映るたびにブラジャーをかぐ高齢者間近の男のイメージが湧いてしまうのですから。

　香川が出演したドラマ『半沢直樹』（TBS系）の大和田常務バリの土下座、本当にあったんですよ。私は広告代理店出身者ですが、営業担当がタレントの不祥事の際、土下座をして広告主に謝罪した、という話も聞いています。

　あと関係ありませんが、『THE TIME,』って、なんで「,」が入っているんですかね。昔、テレビ誌の編集者をやっていた時、番組紹介をする際、「.」がないやら「〝!〟でなく〝!!〟だ」みたいなことで局の広報から怒られたことを思い出しました。それから、「MiND」（仮）みたいに、「i」だけ小文字なのあるじゃないですか。これ、「i＝私、が輝くことを意味している」みたいな方便を散々聞きましたが、それが大文字か小文字かで売り上げってどれぐらい違うんですかね。（2022/09/22）
◇その後ぱたりと公の場に姿を見せなくなっていた香川氏ですが、仕事もお酒も超多忙だった人が突然の白紙スケジュール。日々どう過ごしていたのかは知りませんが、その後は猿之助の騒動も続き、ますますテレビへの復帰が遠ざかったのは間違いないでしょう。なお、2022年12月に歌舞伎俳優・市川中車として舞台に復帰しています。

『週刊ポスト』のエロ漫画

『週刊ポスト』に連載されている永井豪先生の『柳生裸真剣(やぎゅうらしんけん)』という漫画が滅法面白いんです。同誌の漫画は毎度毎度「男のファンタジー」をひたすら追求し、女性からすると「男ってなんでこんなバカなの……?」と思うことでしょう。

剣豪・柳生十兵衛の人生を描く作品ですが、なんと、十兵衛が女性だったという設定です。徳川三代将軍家光の剣の指南役として小さな頃から仕えていた十兵衛。ある日、風呂に入るところを家光に見られ、女性であることがバレてしまう。その晩、男の欲望のもと、家光は閨(ねや)の十兵衛を後ろから抱き、十兵衛から蹴りをくらい失神。主人に不義理をしてしまったところから江戸を脱出する十兵衛、「脱げば脱ぐほど強くなる」という奥義「裸真剣」の達人だったのだ！　毎回全裸シーンもありますし、お供の剣士と忍者の男が風呂覗きをして大興奮するなど、常におとぼけ要素が入っています。

『週刊ポスト』の漫画は過去の『時男〜愛は時空を超えて〜』（国友やすゆき）では、男女がエロ行為をしている時、絶頂に達しようとする瞬間に落雷が発生し、タイムスリップをする。そして主人公の男はその時代でも絶倫ぶりを発揮し、エロしまくり。

他にも『ドキドキの時間』（とみさわ千夏）では、主人公の漫画家の男がアシスタント志望の女性と関係を持つのですが、お相手の女性の性器が緩すぎると感じ、アソコを太くする手術を決意。その手のクリニックのタイアップ漫画かと思ったらそうではなく、手術を受ける前には「診察」が必要だと女医が男の下半身を露出させ、その後はアッハーン、ウッフーンな展開に。以後、この男は様々な女性からモテまくる。

なんという都合の良い展開だ！　と毎度ツッコミを入れながら読んでいたのですが、私にとっては「欲望の解放」という点で、この手のお色気漫画は参考になります。とかく他人への配慮をしたり、「自粛のお願い」に従うことが求められる昨今、人々は欲望を発散したら「不謹慎だ」「社会性がない」などと叩かれまくりました。せめて漫画ぐらい……の気持ちがあるわけです。

当然、これらの作品はフェミニスト文脈からすればホメられたものではないでしょう。だからこそ、男性向けの週刊誌で連載して女性の目に触れないようにし、発行元の小学館は自社の「NEWSポストセブン」にも掲載しない。

もちろん、全裸シーンなどをYahoo!JAPANをはじめとしたポータルサイトに配信できるワケもないのですが、週に1回、お色気漫画を楽しみにしている男性諸兄に対しては、そこはかとない愛おしさを感じてしまうのです。

少女漫画にしても、「トーストを口にくわえて『遅刻するー!』と焦りながら疾走する浩子。曲がり角でぶつかった男子生徒が『なんだよおめー!』とキレ、その後『最悪男め!』となって学校に着いたら先ほどの男は転校生だった。そして、恋愛に発展」的なパターンが過去にはあったようで、これもファンタジーです。

性描写はさすがに少女漫画には滅多にないでしょうが、これからファンタジーも、どんどん規制される方向に行くんですかね?（2022/06/02）

◇かつて話題になった週刊誌の「袋とじ」ヌード、近ごろは目にすることも減りました。人目を気にしての業界の工夫も、スマホにあふれるエロ画像によってあえなく駆逐されてしまったようです。ニューノーマルとは単なる時の流れ、なのかもしれません。

アホな校則が国を滅ぼす

初めて『ワイドナショー』（フジテレビ系）を見ました。様々なテーマについて論客が意見を言い合う番組ですが、「ジェンダーレススクール水着」に関するコーナーでは、学校の無駄な校則が話題に上りました。出演者の三浦瑠麗さんは「ブルマを強要してくる日本社会と学校が憎かった。走る時にはパンツが出ていないかが気になった」的なことを言います。フランスで少年時代を過ごした出演者は「フランスでは恰好は自由」と言います。

そうなんですよ。日本の校則って意味が分からないのが多いです。私は中学2年から高校卒業までアメリカの公立に行きましたが、校則には「銃刀類・違法薬物の持ち込み禁止」「授業中、教室外に出たらその日の放課後は拘束」「ケンカ禁止」がありました。他には「ビール・タバコのロゴが描かれた洋服の着用禁止、着ていた場合は裏返す」

も。そして「自慰行為禁止」もあったのですが、授業と授業の間の数分間で毎度便所で自慰をする男子生徒がいました。しかし、この行為がバレて停学処分をくらうも、母親が「ウチの子は自慰をしないと死ぬ！」と抗議をし、この生徒だけ特例で許されました。違法薬物を便所個室で使用しないよう、大便器の前にはドアがなく、腰の高さ程度の壁があるだけなので、その行為はバレてしまうのです。

しかし、よく分からないのが、喫煙が黙認されていたこと。不良の象徴たるヘビメタのTシャツを着てロン毛の男子生徒が、体育館の前（「裏」じゃない！）でタバコを吸っていても何も言われない。

これ以外の校則はほとんどありません。学校行事さえない。参加した行事は中学卒業時の遠足と、高校の卒業式のみ。ダンスパーティーの「ホームカミングダンス」「プロム」はありましたが、モテない私は相手がいなくて参加せず。他にもアメフト部やバスケ部の試合を皆で応援する文化はありましたが、運動会・学芸会・文化祭・林間学校・キャンプファイヤー・田植え・合唱コンクール等はありませんでした。

冒頭の『ワイドナショー』ですが、体育着や上履きの学校指定によって、地元の流行ってなさそうなスポーツ店が存続できている点についても言及され、出演者は「利権の

におい を感じる」的なことを言っていました。
そうです。アメリカでは私立はさておき、公立では制服も運動着も赤白帽も上履きも「指定」のものは一切ありませんでした。各人が好き放題な恰好をしていたのです。ランドセルの強要なんてありません。それを経験しているから、私は校則の多くは無駄だと思います。「ボールペンの使用禁止」とか「前髪は眉毛の上まで」とか一体なんなんですか？

２０２１年に、某県の男子高校生から聞いたのですが、「ツーブロック（トップは長めでサイドの毛を刈る髪型）禁止」という校則があるそうです。それ以上に仰天したのが、「女子はうなじを出さない、白の下着以外は禁止」という県の教育委員会が作ったルールです。理由は「男子生徒を無駄に欲情させる」。

この高校生は、お笑いコンビ・ＥＸＩＴのピンク色の髪の毛の兼近さんが好きで、自分も髪の毛をピンクにしていました。ただ、リモート授業では「黒髪以外禁止」だったので、ＰＣのカメラで映る部分は黒くするという用意周到ぶり。これには「よくやった！」と言いました。アホ校則、日本を滅ぼしますよ。（2022/08/25）

◇校内暴力がピークを迎えた1980年代以降、学校現場の暗黙のルールがどんどん言語化されていきました。それにつれて、具体的だけどバカらしい校則も増えてしまったのかもしれません。

ツイッターのアカウントが凍結されて

やられた！　ツイッターのアカウントが凍結（失効／使用ほぼ禁止）され、発言の機会が奪われました。まぁ、私のことが大嫌いな人々がツイッター社の運営者に通報しまくったのでしょう。この半年の間、二度警告が来ました。最初は二つのツイート、今回は三つのツイートに関する警告です。この5発のツイートにより凍結となったのです。

私自身、新型コロナウイルスについて「そこまで騒ぐほどのウイルスではないのでは？　マスクもワクチンも意味ねぇだろ！」といった疑念を呈していたため、「経済より命が大事」「コロナは恐ろしい」「マスクとワクチンは素晴らしいものである！」と考える方々から散々叩かれまくっておりました。恐らくそういった方々が運営側に対して、とにかくウザい存在である私のことを通報したのだと思われます。

なんでそこまでコロナを怖がりたいのか……。まぁ、いいですが、前回の二つのツイートと今回の三つのツイートが一体何だったのかを述べます。これらは、運営側が問題視したツイートをキチンと開示してくれるため、明らかになったことです。多分、「えっ？　そんな言葉で凍結されるの？」と思うことでしょう。

前回の二つは「ぱよぱよちーん」です。そして今回の三つは「ジジイとババア」です。前者については説明が必要なため、後に回しますが、「ジジイとババア」については、高齢者の医療費2割負担に対し、左翼臭がプンプン漂う団体による反対のデモが新宿で行われることを受けてのもの。正直、これまでの「1割」が安過ぎたのでは……と私のような健康保険料MAXを支払いながら、まったく病院へ行かない人間は思うのですが、「高齢者をいじめるのか！」とデモが計画されました。

私は「コロナで散々青春時代を損なう被害を受け、高齢者を守るために自粛生活を強要された若者をさらにいたぶるのか！　ジジイとババアはいい加減にせぇ！」という気持ちから「ジジイとババア」を3回書きました。

これが完全に運営側に「差別」「暴言」として扱われてしまったのです。これを「中川淳一郎嫌い」な連中が一斉に通報し、私は見事凍結されたのです。いやぁ、「お爺様・お婆様」「おじいさん、おばあさん」「高齢者」と書けば良かったわ。

そして、読者の皆様にはまったく分からないでしょうが、「ぱよぱよちーん」について説明します。これは元々はとある左翼活動家で当時57歳の男性・K氏が使った言葉。元アイドルの千葉麗子さんに対し、ツイッターで「おはよう」と言うところを「レイちんぱよぱよちーん」と書いたのです。

これがベースとなり、「サヨク」が「パヨク」と呼ばれるようになり、サヨクのことを「ぱよぱよちーん」と呼ぶようになったのです。こうした経緯もあり、「ぱよぱよちーん」は侮蔑の言葉に発展し、今回の私の凍結にも関与することとなったのでした。

いやぁ〜、私は別に「死ね」「この無能」「クソ外道」などと言ったわけではありません。「ぱよぱよちーん」と「ジジイとババア」です。これが今の日本では呟き禁止用語なのです。

ただ、よく分かりませんが36時間後にアカウントは復活しました（笑）。（2022/10/20）

◇イーロン・マスク氏による買収以来、ツイッターはトランプ前大統領をはじめ凍結アカウントの解除、さらにはCEO交代など目まぐるしく変化しています。「言論の自由」は別として、企業価値は買収時に比べて一時3分の1まで低下してしまいましたが、巻き返しなるか。

オブラートに包まれた言葉

恥の多い人生を送ってきました。しかしながら、世間一般が抱く恥の概念ってものに対する恥じらいは持っていません。

2023年2月6日、ユニーは同社が運営するスーパーで食品の値引きシールのデザインを変更すると発表。これまで赤いシールで「おつとめ品」と書かれて割引率が示されていたのを、緑色の「食品ロス削減　売り尽くし価格」に変更するというのです。

理由は、食品ロス削減を目指すことに加え「赤い『おつとめ品』シールのついた商品を買うのは恥ずかしい」という声もあるらしい。いや、私なぞ「50%OFF」やら「半額！」なんてシールが貼ってあったら「どや、ワシはトクする商品をGETできたんだぜ、ざまぁみろ！」と誇らしい気持ちになるのですが、恥ずかしい人も一定数いるようですね。

しかし「『赤』と『緑』」「『おつとめ品』と『売り尽くし価格』」の違いってそんなにあるの？　いずれにしても値引きシールなわけで、そんなに恥ずかしさが除去されるものだろうか……。

恐らく「食品ロス削減」という大義名分が今回の改訂のキモだと思うのですが、どちらも「安いものを買っている」ことには変わりがない。だったら恥ずかしさに違いはないのでは、とも思うわけですよ。しかし、多くの日本人にとっては大義名分が与えられれば恥ずかしさが減少するみたいですね。

まぁ、日本語って、ドギツイ表現を避け、なんとなく美しい言葉に変換するのはお家芸ですよね。「援助交際（実際は『売春』）」「万引き（実際は窃盗）」「思いやり予算（実際はただ単に米軍に貢いでるだけ）」などがある。

さらには会社員にとってはただの「退社」で、アイドルユニットにおいては「脱退」なのに「卒業」と言い出した。あのさ、なんでここまでオブラートに包むような言い換えをするんだよ。表面的にキレイな言葉だったらいいってか？　英語でも当然こうした言い換えはしますが、皮肉交じりでした。

私がアメリカの高校3年生だった1992年、世界史の教員はなぜか「暴れるバカ生徒」の保護者と面談する際、そのように呼ぶのは良くない、と授業中、突然言い出しました。「みんな、オレがなんと言うか分かるかい？」と彼は言います。誰も正答できなかったので彼は自ら答えを言いました。

〈I say "your child is hyper active. You know what it means?"〉（オレは「あなたのお子さんはハイパー行動的ですね。この意味分かりますよね？」と言うんだよ）とのことです。私はこの時、アメリカ人でもこうした遠回しの言い換えをすることを知りました。しかし、その後で「字面通りに受け取るな」と釘を刺すのを忘れないことに「大したものだ」と思ったものです。

翻って日本。国会では「卒業式でマスク着用をどうするか？」という自主性もクソもないバカな議論を続けました。もっと経済対策やら外交、国防といった国にとって重要なテーマで議論せぇや。食品シールについても「ＳＤＧｓの観点から、食品の値引きシールは『おつとめ品』や『50％ＯＦＦ』ではなく『食品ロス削減　売り尽くし価格』に変更するべきでは」といった議論が経済産業省主導で発生するのでしょうか。やめてくれ。（2023/02/23）

◇昨今、流行する「Ｐ活」も実態は売春に他ならないわけですが、モノは言いよう、ということなのでしょう。ある程度、婉曲表現を用いないと、身も蓋もないということになりかねません。

「わたしの川柳コンクール」雑感

第一生命は２０２３年5月25日、「サラっと一句！わたしの川柳コンクール」のベスト10を発表しました。22年まで「サラリーマン川柳コンクール」（サラ川）だったコンクールの名称が今年から変わったのです。1位は「また値上げ　節約生活　もう音上げ」、2位は「ヤクルト１０００　探し疲れて　よく寝れる」、3位は「店員が　手とり足とり　セルフレジ」、4位は「下腹に　脂肪が集合　『密ですよ』」、5位は「サイフより　スマホ忘れが　致命傷」となりました。

名称変更について第一生命は「２０２２年、より幅広い方々にお楽しみいただけるよう名称を変更し新たなスタートを切りました」と説明。そのうえで募集する作品と対象を、「日常に起きる何気ない出来事をユーモアと風刺のセンスで表現した作品を毎年全国で大募集しています。本コンクールは、老若男女を問わずどなたでもご参加いただけます」と告知しました。「サラリーマン」を冠すると男性の会社員・公務員だけを想像してしまうことと、コンプラ意識が高い今、名称変更が必要と判断したのでしょう。

その結果、以前よりも穏やかになったというか、男性による自虐とおちょくりが明らかに減りました。「サラ川」時代を彷彿させるのは4位の「脂肪が集合」と、41位の「おやじギャグ　ミュート機能で　スルーされ」です。「脂肪」川柳にしても、昔なら「妻の腹に脂肪が集合」的なものにしていたところ、今回は性別が分からないようになっています。順位は投票で決まっていますが、1月に第一生命が選んだ100句が対象なだけに、意図的にコンプラ度を高めることは可能でしょう。

そこで、過去の〝サラ川時代〟に1位となった句の中から、コンプラ的に23年には批判の対象になりかねないものを選んでみました。

会社へは　来るなと上司　行けと妻（2020年）
我が家では　最強スクラム　妻・娘（2019年）
退職金　もらった瞬間　妻ドローン（2015年）

うちの嫁　後ろ姿は　フナッシー（２０１３年）
いい夫婦　今じゃどうでも　いい夫婦（２０１２年）
仕分け人　妻に比べりゃ　まだ甘い（２００９年）
しゅうち心　なくした妻は　ポーニョポニョ（２００８年）
昼食は　妻がセレブで　俺セルフ（２００５年）
オレオレに　亭主と知りつつ　電話切る（２００４年）
タバコより　体に悪い　妻のグチ（２００２年）
プロポーズ　あの日にかえって　ことわりたい（１９９９年）
わが家では　子供ポケモン　パパノケモン（１９９７年）
いい家内　10年経ったら　おっ家内（１９９３年）

08年（ポーニョポニョの年）には3位に「ぼくの嫁　国産なのに　毒がある」、８位は「『パパがいい！』　それがいつしか　『パパはいい』」が入りました。これも今ではコンプラ上選びにくい。サラ川の場合は１９８０年代後半にヒットした漫画『オバタリアン』の後継的な意味合いを感じます。あの頃「オバサン」は化け物のような存在で、うるさい・傍若無人・乱暴といった描き方をすることが許されました。しかし、90年代中盤以降は女性をそのように描くことはためらわれ、「夫が頭が上がらない存在」「ダメオヤジを支配する存在」という形になり、すっかり自虐的な川柳がウケるようになっていきます。

ただし、妻の容姿をいじるのは許容されており、「しゅうち心　なくした妻は　ポーニョポニョ」は、時々見せる夫からの抵抗とでも解釈できましょうか。同句は、男性アイドルユニット「羞恥心」が流行ったのと、映画『崖の上のポニョ』がヒットしたことにもかけており、世相を捉えた巧みな一句です。これに加え「プロポーズ　あの日にかえって　ことわりたい」のように、「昔はあんなにきれいで優しかったのに今はすっかり……（以下自粛）」という気持ちを時々出すことは許されていました。

しかし、基本的には「夫が妻に頭が上がらない」「夫が会社で時代に取り残されている」「妻の扱いに夫は常にビビる」「夫の稼ぎが悪く妻に怒られる」「父は娘から距離を置かれる」「夫は部下からバカにされる」といった「男性が嘲笑の対象」的内容がウケやすかったのは事実。テレビ番組でも男性のMCやコメンテーターが「いやぁ、ウチと同じですね（笑）」と苦笑しながら言い、女性コメンテーターが「ちょっとかわいそうですね」などと言うわけです。

90年代中盤以降は「男のことは年代問わず揶揄してもいい」という空気感はまだ残っていました。それがよく表れたのが、J-PHONE（現ソフトバンク）のCMです。携帯電話で写真を送ることができる「写メール」を告知するもの。藤原紀香演じるOLが合コン現場へ行くと、そこにいる男性陣が全員ブサイク。そこにイケメン集団から「今飲んでます！」と藤原に写真が送られてきます。藤原ら女性陣はブサイク軍団にサヨナラをし、イケメンとの合コンへ行く、というオチになるのです。

ところが、２０００年代に入り就職氷河期世代が苦しんでからは若い男性を揶揄することはためらわれるようになり、社会で力を持っているとされるオッサン・オジサンが最後に残された揶揄対象となりました。もちろん差別主義の女性や若者であっても揶揄・批判の対象にはなりますが、「ただ存在するだけ」で揶揄していいのがオッサン・オジサンということ。それこそチビ・デブ・ハゲ・臭い・加齢臭・キモい・キモオタなどに始まり「子ども部屋おじさん」や「おじさん構文」などもオッサン・オジサン揶揄の対象なのです。

こうした風潮が、「サラ川」にも反映され続けたということでしょう。そして23年に発表された22年版は「サラっと一句！わたしの川柳コンクール」とリニューアル。サラ川のニュアンスは残しつつもオッサン・オジサンの自虐は影を潜め、社会現象や日々の「あるある」を上位に選ぶ結果に。「オッサンの悲哀」的なニュアンスからの脱却が果たされたわけですが、私自身「オッサン・オジサンだけは揶揄の対象としても許される」という風潮は奇異に感じていたため、今回のリニューアルについては賛同します。

この路線で「毒が足りないんだよ……」「自虐時代の方が楽しかった……」と嘆く向きはあるでしょう。しかし、主催者の第一生命も次回は今回の反応を踏まえ、コンプラ上の絶妙な匙加減で投票対象となる100句を選ぶのでは？　自虐系やオッサン・オジサン揶揄系は少なくなると見ていますが、それらを求める声もあるでしょうから意図的に選ぶ可能性はあるはず。今回、その手の川柳が投票対象だったらどうなるか。三つ考えてみました。基本的にはＡＩ・値上げ・コロナといったところがテーマです。

オレの価値　ＡＩ使った　５秒分
節約で　床屋やめるも　髪はなし
帰り道　マスク拾って　節約だ（2023/05/29）

◇ChatGPTが連日メディアを賑わせています。生成ＡＩには規制が必要という声しきりですが、役に立つもの、手間暇を省けるものには目がないのが人間でもあります。もちろんコンプラ問題もＡＩで解決するなら、あらゆる現場に広がっていくことでしょう。

PARTⅢ　節操のないメディア

何でも答えてしまうから専門家

ある外国のニュースに対し、日本在住の関係者やその国在住日本人がメディアに登場しますが、「本当にそこまで断定できるの？」と思うことが多いんですよ。

もちろん、エリザベス女王が亡くなった時、英王室に詳しい日本人女性がＴＶにリモート出演して「女王は誰からも愛された。カミラ新王妃は結婚初期は激しく叩かれたが、今はそこそこ支持を得ている」とか言うのは現地の空気感と報道を見ていれば分かる。だから、信頼感がある。

しかし、北朝鮮関連の話になると、途端に首をひねることもあります。だって、北朝鮮にパイプを持つ日本在住者がいないからここまで「謎の国」なんですよね。これまでにこうした「北朝鮮の専門家」が出る時は「なぜこのような格好をしているか」「なぜ、このような写真を撮らせたか」の分析が多いです。

金正恩氏の髪型と体型と服装について「初代最高指導者の金日成氏をイメージさせたい」はよく分かります。雪の中、白馬にまたがる姿も「金日成氏が乗っていた『神の使い』的イメージ」という分析も歴史的に言い伝えられているので分かる。

２０２２年11月19日に朝鮮中央通信が配信した、娘と見られる女児と正恩氏の写真では、女児は白いコートを着ています。ＴＶに出ていた北朝鮮の専門家は「北朝鮮では白が神聖な色とされている」と回答。そうなのかもしれませんが、正恩氏は白い服を着ることはあるものの、黒い服の時が圧倒的に多いですよね……。あと、白が神聖なのであれば、ド派手なピンクが多いマスゲームも本来白であるべきですし、サッカー北朝鮮代表だって赤いユニフォームでなく、時々使用する白をメインにするべきだ。専門家たるもの、何でも答えられることにしなくてはならず、「どうせ誰もツッコまないだろう」、と適当なことを言っているのでは、と勘繰ってしまいます。

日本が世界から注目されたのはオウム真理教事件の時です。私が在米日本人ジャーナリストだったとしましょう。米人記者から「なぜ、麻原彰晃は赤紫の服で、他の末端信徒は白い服なのか？」と聞かれたら「聖徳太子の時代の『冠位十二階』で紫が最も位が高いとされていたからその名残ではないか」と答えてみせたと思いますが、苦し紛れです。

オウムに詳しい人であれば、色の意味は伝えられますが、私はあくまで「日本に詳しい」だけで、オウムに詳しいわけではない。ここは「オウムに詳しい在米日本人」が必要なんですよ。

好奇心旺盛なアメリカ人から「紫が位が高いのであれば、なぜ天皇は紫の服を着ず、黒いスーツを着るのか？　即位の礼では渋いオレンジの着物だった理由はなぜか？」と聞かれたらもう手も足も出ません。ここは「皇室に詳しい日本人」の出番となるわけです。

それなのに北朝鮮関連では毎度数名の北朝鮮の専門家がありとあらゆる質問に答えられる。コロナで登場する「感染症の専門家」もいつの間にか対策（マスクが効く）・ワクチン（素晴らしい効果）・変異株の特徴（金メダル級のヤバさ）・収束の理由（マスクをピタッと着けた）など、何でも答えられましたよね。いずれもその場の思い付きと思い込み。「そこは分からない」と言える専門家の方が信用できます。（2022/12/15）
◇後継者とも囁かれる金正恩の娘はその後も、ミサイル発射や国家行事のたびに寄り添って登場。

普通なら微笑ましい父娘のツーショットも、取りまく状況だけにきわめて異常。2023年5月、「人工衛星打ち上げ」と称する7年ぶりのミサイル発射は「重大な欠陥」により失敗しました。

死してなお「アベ反対」の人々

毎日新聞は2022年9月18日、岸田内閣の支持率が29%になったと発表。7月発表の52%から大幅な下落です。普段は「検討使」の岸田氏が、安倍晋三元首相の国葬を珍しく「決断」したため下落するという皮肉でした。

岸田氏の支持率が高かった理由は、メディアが叩きようがなかったから。安倍氏については左派のメディア・論客・活動家が「奴は極悪人」認定をし、「アベ政治を許さない」とやり続けた。

「憲法九条を改正し、日本を戦争ができる国にする独裁者」との設定を元に安保法制を「戦争法案」と呼び、共謀罪は「居酒屋で上司を殴る相談をすると逮捕される密告社会を作る」と大袈裟にアベを批判した。

野党は幹部や人気若手が反対デモに参加しアベを徹底批判。モリカケ・桜問題について、国会で延々批判。左派メディアが積極的に報じ、支持率が下がることはあるものの、海外要人と安倍氏のにこやかな姿を見てまた上がる。

しかし、アベが退陣して以来、左派は叩く術を失った。せいぜい、アベ時代の官房長官だった菅義偉氏が首相になった直後の「日本学術会議問題」とワクチン確保が遅いのを責める程度しか題材がなかった。岸田氏になってからはアベ色が薄く、叩く要素が消えてしまったのです。

しかし、安倍氏の国葬を決断したところ「あの極悪人を国葬にするとは許せん！」と反対の炎が吹き上がり、世論調査で反対の声が大きいことに力を得て「やっぱアベは悪人」の勢い復活。ただ、そこが理由じゃないです。

先日、『ＡＢＥＭＡ Ｐｒｉｍｅ』という報道番組に出たのですが、反対理由を立憲民主党の辻元清美氏は以下三つ挙げました。①閣議決定だけで国葬を決める、国会を無視した決め方②内閣府設置法の「国の儀式」は天皇の国事行為のみ③安倍氏の功績の判断基準が不透明。

ノンポリの私もこれには納得ですし、この三つが反対理由です。

番組中では、代々木公園で開かれた「さようなら戦争　さようなら原発　9・19大集会」で国葬反対を訴える様も紹介されました。著名参加者は、日本共産党の志位和夫氏・小池晃氏、社民党の福島瑞穂氏、作家・落合恵子氏、ジャーナリスト・鎌田慧氏ら。

これに平石直之アナが「なぜ国葬反対を訴えるのに戦争や原発を出すのか？　ブレないか？」と立民の小川淳也議員に聞きました。私も平石アナにかぶせ、こうツッコミました。

「2010年代前半以降の反原発運動に参加する『いつものメンバー』が安倍氏叩きのため、安保法制や共謀罪をイシューに追加。今回は国葬。いい加減このやり方が倒閣運動では通用しないと思わないのですか？　辻元さんが指摘した3点でいいし、原発も戦争も出さなくて良かった」

すると小川氏は「意見を述べる人を侮辱するのですか！」的にキレました。さらに「メディアが切り取った一部の映像で何を言うか！」のようなことも言う。いやいや、あなた方が支持するデモを散々取り扱ってきたメディアが、アベの国葬を批判するために取材に来たんでしょ。あなた方の味方が編集した動画なんですが。

彼ら、国葬後、いかにしてアベを再び世に出して批判するんですかね。「死せる孔明、

生ける仲達を走らす」ではないですが、「死せるアベ、生ける左派を走らす」を感じた国葬騒動でした。（2022/10/13）

◇安倍氏の国葬は予定通り執り行われ、国会では野田佳彦元首相による追悼演説が話題になりました。「いつものメンバー」による、「いつものアベ批判」とはおよそ次元の異なるものだったことは言うまでもありません。

野党とともに風見鶏のごとく

メディアの仕事に従事している当人が言うのも恐縮ですが、本当、メディアって節操ないですね！　本稿を執筆している2022年5月24日、最も騒がしいのは山口県阿武町の「4630万円誤振り込み事件」ですよ！　あのさ、16兆円ともされるコロナ対策費の使途不明金の方が問題でしょ！　あとは尾身茂・政府分科会会長が3月末まで理事長を務めた「独立行政法人地域医療機能推進機構（ＪＣＨＯ）」がコロナ対策で132億円の補助金を受けたのに、使用されない「幽霊病床」を多数抱えていた！　さらに、JCHOは2020年度の補助金等収益が前年度比311億円増の324億円！

阿武町の件については、人口3000人以下の小さな町にとっては大きな話ですが、単純に言えば「職員が大ポカをし、確認する金融機関の人間もミスり、振り込まれた男がどうしようもないヤツだった。後に顔写真が明かされたらイケメン風で過去は不良だったから面白い」という事件です。どう考えても連日のようにテレビのワイドショーで報じ、ネットニュースも取り上げるほどの騒動ではないでしょうよ。16兆円の不明金の方がよっぽど重要です。

私も長年ネット編集者をやっているため、「勝ち馬に乗れ」の法則はよーく分かっています。つまり、今現在、世間の「風」として流行っているものの続報を出せば出すほどアクセス数を稼げ、儲かる、という理論です。雑誌・新聞の部数、テレビの視聴率も同じで、メディアは、「本当に報道する価値があるもの」よりも「とりあえず数字が取れて会社が儲かるもの」を重視する傾向があります。

それから岸田内閣の支持率。5月23日のFNNの世論調査によると、政権発足後最高の68・9％なんですって？　これもメディアの報道が影響しているでしょう。安倍晋三氏が首相だった時、メディアはとにかく粗を見つけようとしていた。左派の間では悪魔化され、デモでは安倍氏の顔にチョビ髭をつけてヒトラーのように見せたり、共産党の池内さおり議員（当時）がチョビ髭安倍氏の顔をつけた太鼓をバチで叩いたり、ブルドーザーで安倍氏を模したゴム製のお面を潰したり。

そこから野党は「モリカケ問題」「桜を見る会」を徹底追及し、メディアはこれに相当な時間と紙面を割いた。２０２０年2月、コロナ騒動が世界的イシューになっていたのに、立憲民主党・共産党はモリカケ・桜に国会での時間を大量に使う。

その後、さすがに世間の空気感に忖度し、コロナにシフトした。「過剰な対策です！緊急事態宣言は人権侵害です！」とやるのかと思ったら「ロックダウンなどもっと厳しい対策を！」と言い出す。そしてモリカケ・桜、後の菅政権になって一度盛り上がった「日本学術会議」への追及も、世間がコロナにビビッてトーンダウン。

一方、岸田氏はアベほどの悪魔でないし、野党的論調と同じリベラル思想を持つから叩きづらい。

結局、メディアの報道量によって野党は風見鶏のごとく国会中継でウケるネタを出すだけなんですよね。もう野党は阿武町の４６３０万円問題を永遠に追及すればいいんじ

ゃない？　山口県は安倍氏の地元だし。（2022/06/09）

◇菅前政権の支持率はスタート時74％（日経）を誇りましたが、コロナ騒ぎの中でわずか1年のうちに34％（同）まで下落。新聞社によって高低はあるものの、朝日では黄信号とされる3割を切るなど低迷を抜け切れず、ついに辞任。たかが数字の話とはいえ、購読者減少に歯止めのかからない〝第四の権力〟の最後の砦なのかもしれません。

「戦犯」たちの屁理屈と炎上騒ぎ

2022年8月上旬、ツイッターでひたすら「感染対策は大事でマスクとワクチンは至宝」的なことを言い続ける往生際の悪い二人の医師が「いい加減にせぇ！」と多くの人からキレられました。

一人はワクチン激推し医師のUCLA・津川友介氏。ワクチン接種率が世界最高峰の日本で連日世界ぶっちぎりの1位の陽性者数をたたき出している時期のこと。「説教おじさん」というツイッターユーザーが「何の科学的エビデンスもなく、『ワクチンで集団免疫』『ワクチンで終身免疫』を主張していたツイッター医師達の医師免許も剝奪するべきだね」と指摘しました。

津川氏は「変異株が出現していなければ今頃新型コロナを駆逐していたと思われます」と返答。これに対し、東大の免疫学の准教授・新田剛氏がウイルスが変異することは2020年から知られていたと指摘。津川氏は「変異が起こることは知られていましたが、ワクチン回避性がこれほど高い変異株になるとは予想されていませんでした」と回答しました。

要するに「オミクロンがワクチンをすり抜けるとは想定外だった」ということを言いたいわけです。「回避性」と言っていますが「効かない」という意味です。津川氏はこうやって感染対策とワクチンの効果に疑問を呈す人に詭弁と言い訳だらけの対応をする。

もう一人はファイザーの広告塔・忽那賢志氏。マスクを大多数が着用している日本がなぜ陽性者数世界一になったかを「Ｙａｈｏｏ！ニュース 個人」に投稿。多い理由は、ざっくり言うと感染者数が過去世界一のアメリカは多数がオミクロンに感染し、８割に免疫があるが、日本は過去に感染者が少ないため免疫がなかった、というもの。そのうえでマスク着用時とそうでない時の飛沫やウイルスがいかに飛ぶかのイメージ図を出し、効果にお墨付きを与える。

あのね、最初の説明に対しては「じゃあ、陽性者がずっと少ないアフリカ諸国がこれから大爆発するの？」という話ですよね。ならないのでは？

そしてマスクの効果については全然回答になっていない。「なぜマスクを着けていても世界一？」という質問なのに「それでもマスクは効果がある」と言ってるだけです。効果がないから世界一なんでしょうよ。「マスクとワクチンは効果がある」という結論ありきで、それらしいデータを持ち出したり、「想定外」と言うのは論者としてまったく信用できない。

これから彼らが屁理屈を述べ続け、毎度炎上する様を生暖かく観察し、いずれ「コロナ戦犯集」として、きちんとまとめます。ちなみに忽那氏と私はＴＶで共演したことがあります。彼は「若者は自分のためというよりも周りのために打つという意味合いがある」と述べました。要するに「思いやりワクチン」です。政治家も専門家も「ワクチンを打つことで感染しない」としきりに喧伝していた時期のことです。私は20代以下の死者がほぼいないとのデータを挙げ、「なぜ若者が利他的にワクチンを打たなくてはいけないのだ」と質問。これには「人間は一人で生きているわけではない」と合唱コンクールの課題曲に出てきそうなことを言いました。

しかし、コロナ騒動、医師連中のゴーマンさが際立ちましたわ。「素人は黙ってな！」的なことを言うくせに、社会・教育・文化・政治・経済などありとあらゆる分野に口出しをした。どんだけ子供・若者の交流を阻害し、自殺者を激増させ、企業・店を倒産に追い込んだんだ。お前ら、その分野では素人だろ！　黙ってろ！（2022/09/01）

◇コロナの無料ＰＣＲ検査を巡り、検査数を水増しして補助金を不正請求していた事業者の存在が相次いで報じられました。美容外科や薬局など、様々な業種が参入し、まさに濡れ手で粟な状況だったのかもしれません。

専門バカの苦しい言いわけ

プロ野球選手が引退後、異業種に転身して仕事を頑張ると、メディアから取材され、記事になります。すると、ネットニュースのコメント欄では「プロ野球では挫折もあっただろうが、曲がりなりにも野球でトップを取った人の真面目さや天性の能力は次に生きるはず。別の世界でも頑張ってほしい」と応援されます。

一方、こうした元選手が犯罪行為に手を染め、逮捕された場合、容疑者となったその〝元選手〟は「野球以外やっていなかったから社会のことが分からなかった」といった供述をすることになるワケです。しかし、この供述は的外れとも感じます。

「野球以外やっていなかったから……」というのは甘えです。野球だって社会の一つです。不祥事を起こした弁護士が「弁護士の勉強ばかりしていたから」「法律の世界にしかいなかったから」と言い訳したら許されるはずもない。「野球ばかりしてきたから社会性がなくても許してね、てへっ！」的な方便が通じるワケがないのです。

なんで社会は元プロ野球選手の不祥事やら犯罪に甘いのか。「あいつらはバカだから仕方がない」というどこか見下した気持ちがあるからでは。それは元プロ野球選手に対して失礼なことです。

さて、本題へ。この3年4ヶ月にもおよぶコロナバカ騒動を見た人間としては、医者連中が完全に「医者の世界にしかいなかったから社会のことが分からなかった」という状態で人々の行動様式を規制したことがよく理解できました。政府分科会も含め、医者連中が「感染対策」「コロナ撲滅」のために国民に強いた施策を並べてみましょう。初期はともかく、全部「お祈り」程度のものですよ。コロナはオミクロン以降、完全に季節性インフルエンザよりも致死率の低いウイルスになりました。それなのに初期の設定を頑なに変えない。どれも意味がなかったのです。「やらないよりはマシだった」はナシで。そんなもんは証明できないし、「やっても無駄だった」なのです。

マスク着用／必要に応じ2枚着用／アクリル板／ビニールカーテン／県をまたぐ移動禁止／飲み会は2時間以内／会食は4人以下／黙食／帰省自粛／施設にいる老親との面会禁止／結婚式中止／イベントは無観客開催／スポーツの試合は収容人数の50％／商業施設の消毒／極寒の中、電車の窓や飲食店のドアを開ける／椅子は1席ずつ空ける／4人掛けテーブルは2人まで、しかもはす向かいで……。

いずれも「なんか効果があるかもしれない」という程度のもので、専門家が思い付きで言ったとしか思えません。そして、世間に漂う「空気」とともに効果の検証もないまま、「もうそろそろいいか……」。これらの対策（笑）がなし崩し的に終わるのです。

本当に感染症の専門家とやらは好き放題やり過ぎました。経済・政治・文化・教育・

心理・貧困問題・労働問題・交通・外交のド素人である彼らが日本全体の舵取りをすることをなんで自公政権は許したのですかね？　政治家失格だわ。我々は専門家に選挙で票は投じていません。それとも貴殿らは「ワシら感染症の勉強しかしていなかったから、てへっ！」とでも言うつもりですか？（2023/05/18）

◇「コロナに効くうがい薬」や「日の丸ワクチン」なども一時はもてはやされましたが、今や過去。第一三共のワクチンが承認される見通しとのことですが、武漢株対応ってなんじゃそれ。

一体いつまで「食べログ」信仰

飲食店の口コミにおいて「食べログ」を含めた「グルメサイト」よりもグーグルの利用率が上回り、トップになったとの記事が登場しました。調査結果を紹介した「MONEY VOICE」というサイトにはこうあります。

〈Googleが前回２０２０年調査の78・５％から今回は86・１％と上昇したのに対し、

グルメサイトは1位だった前回78・9％から今回は61・3％と、大幅に下降している〉

元々私はこのグルメサイトとやらは信用していないいんですよ。10年ほど前、とある情報サイトから「食べログに対して好意的なことを言う取材」をされた時、「自分の好きな複数の店を高評価している人は恐らくあなたと舌が合う。その人の勧める別の店も信用に値する」と答えました。

これが影響したかどうかは分からないのですが、「好みのあう人をフォローすると、その人のオススメのお店から探せます。」の文字が同サイトには長年表示されています。まぁその通りなのですが、自分自身の食べログの使い方を考えると、基本的には地図を見るだけなんですよね。取材に対する私のコメントはあくまでも「好意的なことを言ってくれ」という取材なので、なんとかひねり出した言葉です。本当はそこまで高く評価していない。何しろ知らない人がその時の気持ちを書いただけの口コミにそこまで信用をおいていない。

さらに、グーグルだって今は地図を出してくれるわけだし、「グーグル画像検索」をすれば、食べログにも載っている写真をズラリと並べて見せてくれる。だったらグーグルでいいじゃん、と思うのは私としてはよく理解できます。

あと、グルメサイトに書き込む人って目的がいくつか考えられるのですが、①自分が行った店を記録しておきたい人②本当に親切な人③自分がいかにいいものを食べているかを示したい自己顕示欲の強い人④暇人、に加え⑤不快な思いをしたことを世に訴えたい人――があることでしょう。

この中で①~④はまぁ、無害です。しかし⑤は、味は良く、金額も妥当だと感じたのに「店員が無愛想だった」「店主が常連を優先していた」「マスクをしない店員がいた」「エアコンの風が寒かった」などをベースに低評価にしてしまうわけです。

もちろんこういったことも重要ではありますが、こうした評価は人によって解釈が変わるわけですよ。「常連を優先していた」ということは、常連にとっては最高の店でしょうよ。エアコンについても暑がりにとっては嬉しいことかもしれないし、エアコンの風が寒いのなら、席を替えてほしいとお願いすればいい。

だとした場合、結局良い店を探したいのなら「その土地に詳しい人に聞けばいい」のであり、さらに店員に対して「○○さんの知り合いで、この店を推薦されたので来ました。楽しみです!」とか言えばいいのです。この二つこそ重要で、食べログ評価が2・78とかだろうが、その店はあなたにとっていい店かもしれない。

焼肉チェーン店が、食べログが「星」を急激に下げた結果売り上げが落ちたとしてアルゴリズムの不当性を訴え、6億4000万円の損害賠償請求をした件、地裁判決では食べログの運営会社に3840万円の賠償を命じました。

運営会社は控訴しましたが、私が思ったのは「食べログの星の数で店を決める舌音痴が多いんだな。日本人アホだ」ということです。（2022/09/08）

◇記事中の「食べログ訴訟」では、併せてお店を評価する際のアルゴリズムの原告側への開示も認められました。まぁ、昔も『Tokyo Walker』とかを読んで、行く店を決めていたから食べログも同じようなものですかね。知り合いのライター（別の雑誌）の中に「カネくれれば載せてやる」と闇営業をしていた不届き者がいます。

「権威」を無視する人生

博多系のラーメン店は全国各地に存在しますが、地元以外の人は麺の固さについて

「バリ固」を頼むのが通だと思っているように思えます。東京や大阪で九州ラーメンの店に行くと多くの人が「バリ固」を注文する。しかし、バリ固って別においしいわけではないと思うのですよ。

私は現在、佐賀県唐津市在住で、九州ラーメンの店によく行きますが、地元の人はバリ固なんてあまり頼みません。単純に「固いよりやわい（柔らかい）方がおいしいでしょ？」や「バリ固って消化に悪くない？」と思っているから。だから「普通」を頼む人が多い。

それなのに、東京の博多ラーメンの店に来る客は「バリ固」を注文し、福岡や佐賀に来てもラーメン屋に行くと「バリ固」を注文する。あのさ、常識的に考えて生煮えの麺っておいしいの？　と私など思うのですよ。どう考えても、茹で時間が短い固い麺って消化にも悪いですし、固過ぎる。さらにはその上の「ハリガネ」「粉落とし」なんてものまである。粉落としの茹で時間は驚愕の2～10秒。さらにはそれを上回る「湯気通し」があり、これは湯気に麺を通すだけ。

福岡・佐賀の店主は「観光客の皆さんは『バリ固』が好きなようなので出しますが、正直『バリ固』ってそこまでおいしいとは思えません。さらに数秒だけお湯に入れる

『粉落とし』なんて、ラーメンのおいしい食べ方とは思えません」なんてことも言います。

質問サイト「Ｑｕｏｒａ」に「博多ラーメンの麺の硬さで『粉おとし』があり、ほとんど生だと思いますが、大丈夫なんでしょうか？　福岡の人は食べてるんですか？」という質問がありました。これに福岡出身のＡｋｉｍｂｏ氏というユーザーはこう答えました。

〈生煮えの麺が美味しいはずはありません。最近の固麺ブームについては苦々しく思っています。なぜか「固ければ固いほどよい」という「プチマッチョぶり」がおいしさとかけ離れたところで加速しているんですよね〉

こう述べたうえで、牛丼の「つゆだく」やマティーニの「ドライであればあるほどいい」と実例を出す。さらに博多ラーメンは長浜の魚河岸で働く人のために細麺を使い、すぐにラーメンを提供したものという歴史も紹介。そしてこう分析します。

〈もともと早めに提供されるものですから、ちょっと待てばよいのですが、それさえ待てない（＝短気）をアピールするためにハリガネだの粉落としだののオプションがなかばジョークとして作られたのだと思います〉

これには「なるほど！」と思わせられました。なんなんですかね、この「麵は固ければ固いほどいい」という風潮。私も当然、東京時代に「バリ固」は食べたことはありますが、「こりゃ、固過ぎるわ……」と思い、以後「普通」にするようになりました。

あくまでも権威が述べた「バリ固を頼むことこそ通である！」といった言説に従っているだけでしょう。しかしながら、九州の人間からすると「バリ固」は「まぁ〜、アリと言えばアリですが、まぁ、私は『普通』で行きますかね……」と途端に歯切れが悪くなる。

食に関しては権威が作った流儀が横行する空気感があります。たとえば、グルメ漫画『美味しんぼ』では企業名を名指しはしていないものの「味の素」と「ドライビール」を徹底的に批判しています。

しかし、正直、私のような素人料理人からすれば味の素は日々の料理をとんでもなくおいしくしてくれます。アサヒスーパードライだって、今となっては一番好きなビールになっています。

権威とされて祭り上げられた人々は自身の思想に従って様々なものを批判し、それらを礼賛する人間をバカ扱いしますが、スーパードライが好きで味の素を使う人間を徹底的に「バカ舌」扱いするってどうなんですかね？「微妙なダシの味が分かる人間こそ至高！」的論説はありますが、別に味の好き嫌いなんて個々人の好みの差でしかないでしょ？　タイ人が辛いものが好きだったり、中東の人がスパイスたっぷりの料理を好むようなもの。本当に私は「レッテル貼り」ってヤツがとことん嫌いです。なんで「○○を使うヤツはバカ」「○○を料理に使うヤツは味音痴」なんてことを勝手に決めつけるのか。

いい加減にしろ。権威どもが勝手に決めたことに従ってきた日本、別にこの30年何も良くなっていないでしょ。だったら権威が言うことには反発していいのです。権威様なんて我々の人生に何ものをもたらさない。だったら、さっさとこいつらを無視する人生を送るべきなのです。ラーメンの「バリ固」も不要です。(2022/07/14)

◇一説には、バリ固の麵には伸びやすい、コシがない、スープが絡みにくい……などの特徴があると指摘されています。「バリ固帝国」に無意識に洗脳されているかもしれないと思って、次回は柔らかめにトライしてみては？

PARTⅣ　マスクゾンビ国家からの逃亡

感染対策マニアにもうウンザリ

２０２３年になりましたが、もう少ししたら、しばらくマレーシアへ行ってきます。もう、日本のコロナ感染対策マニアっぷりに耐えられなくなり、逃亡することにしました。外に出るとマスクマンばかりで、商業施設ではマスクしろ、と言われ、メディアに登場する人々もマスクだらけ。テレビに登場する専門家・ツイッターの医クラ（医療従事者クラスター）は、ワクチンとマスクと行動制限の重要性を説き、子供達の「黙食」をやめようと提案した千葉県の熊谷俊人知事を猛烈に叩きまくる。

と「マレーシア」と書きましたが、実際はタイへ行きました。元々飛行機でマスク装着不要、到着してもマスクもワクチン接種証明の提出も不要というのでタイに行くつもりだったのですが、１月７日、タイ政府が突然ワクチン接種証明を復活させると宣言したのです。２０２２年９月にこの水際対策は終わったためタイへ行くことにしたのに突

に入ります」「ウェブニュース編集やめます」「東京から脱出します」「セミリタイアします」などは一声目では「えっ？　マジ？」と驚かれたものの、宣言する行為というのは、その方向に向かうべく自分を追い込んでくれます。

何しろ、有言不実行ほどカッコ悪いものはない。不言実行であれば、プレッシャーが与えられない。有言実行こそ、何かを変えたい時には手っ取り早い手段だと思います。今の状態、私は何があろうとも日本を出なくてはダサい。散々コロナ騒動下の日本の状況をバカにし、「いつまでやってるんだよ」などとツイッターでケンカをし、さらに「お前らみたいなバカだらけの国から一旦逃亡するわ」と、まさに反日活動家の如き発言をし続けてきたのだから。

そんな人間が「やっぱ行くのやめたわ。日本サイコー！」なんて言えるわけがない。

２０２３年も皆さまにとって善き年でありますように。（2023/01/19）

◇「水際対策」という言葉もようやく聞かなくなりました。２０２３年3月、横浜港に寄港したダイヤモンド・プリンセス号も、危険物扱いされた3年前とは一転して観光回復を期待する声に迎えられました。ところがその後、長崎港では誘導にあたっていた水先案内人が転落死。つくづくニュースになる豪華客船です。

旅の終わりに

２０２３年の初めは、92日間タイとラオスに滞在していましたが、日本に戻りました。2月～3月中旬の猛烈に寒い日本にいないというのがとんでもなく快適ですね～。来年以降も寒い時期は1～3ヶ月はタイ・ラオス・カンボジアあたりに行ってもいいかな、と思いました。生活費はホテル料金を含めても日本よりタイは安いです。ラオス・カンボジアは圧倒的に安い。

長期間家を空ける場合、どうすればいいのかについて、色々分かったことを書いてみます。一番大事なのは、価値のあるものをそもそも買わないことです。何しろ泥棒が入ってそれらを失うのは最悪なので。

幸いにも、我が家には価値のあるものは何一つありません。まだ使える古いＰＣに3万円ぐらいの価値がある程度でしょうか。だから仮に泥棒が入ったとしても盗むものがない。これは大きな心の安定に繋がります。

今回、新型コロナの感染症法上の「5類」化と水際対策終了が自分にとって帰国の条件でしたが、それが5月8日には両方とも実現していたため、この日にしました。まぁ、タイのビザが7日までだったという事情もありますが。元々いつこの二つが現実のものになるか分からなかったため、片道切符にし、水道・ガス・電気・テレビ・新聞は止めました。

そして、我が家は湿気がすさまじいため、不在時にカビだらけになることを恐れ、窓を開けていったのですが、これが良かった！　２０２０年12月8日、この家に住み始めてから1週間後、クローゼットに入れていた洋服が軒並みカビだらけに。以来2年5ヶ月、一つの窓を開けっ放しにしているのですが、今回も窓を開けていくとまったくカビは生えなかったのです。これも、価値のあるものがない家だからこそできることです。

しかし、落とし穴が一つありました。冷蔵庫です。当然電気は切れているわけですから、中に残していった調味料やら何やらの水分がたまり、冷蔵庫中がカビだらけに。急いでいたため、ミカンも三つ入れっぱなしにしていましたが、これが見事なエメラルドグリーンのカビ化していたのです。すべての容器がカビだらけになり、未開封の調味料を捨て、大量の塩素を使い掃除しました。電気を止める場合は、絶対に冷蔵庫は開けっ放しにすべきです。

長期間家を空けてよく分かったのが、不用品があまりにも多いことです。現在2DKの家に住んでいるのですが、一つの部屋は完全に物置です。しかし、ここにあるものの99%はこの2年5ヶ月で一度も使っていなかった！　厳選した本を前回の引っ越しの際に箱詰めしたつもりだったのですが、これも結局読まなかった。今の時代、Ｋｉｎｄｌｅもありますので、この部屋のものは一旦すべて捨ててしまうことにします。

旅に出ると、こうして日常生活で本当に必要なものが分かるわけです。あぁ、結局オレと家人の人生、リュックサック、ボストンバッグ、スーツケース、手提げかばんだけで事足りるんだな……と。これに調理器具と食器と家電があれば十分です。１ＤＫの家に引っ越すことも現在検討中で、さらにカネを使わなくなりそうです。（2023/05/25）

◇ＧＷ終了後に「５類」へ移行した新型コロナ。感染者数も全数把握から定点把握になりましたが、なお「前週より増加」といったアラートがしばしばです。いやはや。

ホタルイカでもマウンティング

日本を脱出した後にやってきたタイからラオスへ移動しました。ラオスでも日本と変わらず人々の飼うペットはネコと犬。やはりこの2種類が圧倒的に飼いやすいのでしょうね。ペットを飼う際に重視すべきは①なつきやすい②かわいい③毒がない④飼いやすい（基本的にはエサとトイレを準備するのみ。エサも入手しやすい）⑤襲ってこない——といったところになるのでは。そこから世界中で残ったのがネコと犬なのでしょう。

かわいさで言えば、イタチとカワウソもアリでしょう。しかし、まったくなついてくれず、すぐに手放したくなってしまうと聞いたことがあります。フェレットだったら犬ネコよりは難しいですが、飼えるようです。飼育用に作られた動物ですから。

そう考えると、「もしかしたらできるかも……」と短絡的に思う種類の動物の飼育がかなり難しいものであることが分かります。誰もがやらないことを「こちらの心が通じればできるかも」なんて思って、熊を飼ったら飼い主が食い殺されてしまった、という海外ニュースも時々あるわけです。長野県では、熊の「ペッペ」を20年間飼っていた75

歳男性がペッペに殺されましたし、やっぱり人間になつく動物・なつかない動物ってあるんですよ。

神奈川県では、とある夫婦がウサギを飼い始めたら2年で200匹になってしまい、役所にSOSを求めた騒動がありました。また、いわゆる「ミドリガメ」は小さくてかわいいですが、どんどん巨大化し、飼い切れなくなってその辺の川や堀に放して大繁殖してしまう。所詮、アメリカから来た獰猛な「ミシシッピアカミミガメ」です。

実に人間が身勝手であることを表しているわけですが、上記①〜⑤がすべて備わっているということにして飼いたいペットを考えてみました。まずはイカです。私は佐賀県唐津市が拠点のため、飲食店には水槽があって活きたイカが悠々と泳いでいます。透き通ったあのボディ、いやぁ、キレイですわ……。あとはホタルイカ。玄関に水槽を置いておけば、夜、暗い廊下を通る時、キラキラと輝いてきれいでしょうね。

さて、このホタルイカですが、先日「佐渡で、ホタルイカの〝身投げ〟が発生し、大量のホタルイカが海岸に打ち上がる」というニュースで、地元の人は網ですくって取っていったという記述がありました。この記事を読むと、海岸に打ち上げられたホタルイカを網ですくった、と素人は思ってしまいます。「Yahoo!ニュース」のコメント欄では「うらやましい！」的なコメントもありましたが、さすが、生態に詳しい富山や佐渡の方々はビシッと言ってくれる。

「あのよぉ、記事を読むと打ち上げられたホタルイカを家に持ち帰ったと思うかもしれんが、分かってる人は、身投げ前に海で捕獲してるんだよ。海岸に打ち上げられたホタルイカなんて、砂を含みまくって食えたもんじゃねぇんだよ」

なんか呆れ口調なんですよ、この人たち。新しい知識を教えてくれたことに対しては感謝するものの、なんでこんなに上から目線なんだよ。

そうなんです、いくら「イカを飼いたい」とか「打ち上げられたホタルイカを食いたい」なんて思っても、どうせ事情通が「ケッ分かってねぇな……」的態度を取るので、あんまり願望って言えない社会になっているんですよね。でも、愛嬌のあるハゼとドジョウは飼いやすいです。水槽にいわゆる「プクプク」という空気を送る機材と汚水を濾過する機材を入れておけば元気に育ってくれます。(2023/04/06)

◇インターネットでは、普段の生活では遭遇しないような人たちと接点ができ、それだけにトラブルも生まれがち。ルールや流儀も違うので、気を遣いますね。感想を言っただけで「ケッ、素人が」やら「分かってねぇな」と叩かれる。なんじゃこの世界。

バンコクからドヤ顔で現況を

２０２３年2月6日、タイ・バンコクに来ました！　開放的だぁ～！　２０２２年12月段階で、日本のガチガチコロナ対策が変わらないのであれば、２０２３年は国外逃亡することを9月に宣言。12月まで東京でテレビの仕事があるのを飛ばすわけにはいかないので、この期限を設定しました。

12月に入っても各施設は「他のお客様の安心のため、マスクの着用をお願いします～」のアナウンスと貼り紙だらけで、「お前達日本人の一番大事なことはカンセンタイサクノテッテイかよ（笑）」状態になり、一旦こんな国から離れるべし！　と決めました。

となれば話は早い。日本で決まっていた用事は1月15日まであったのと確定申告もあるので、2月6日に脱出することを決定。本稿はバンコクに来てから8日目に書いていますが、とにかくコロナを感じることがない。タイ人のマスク着用率は約40%で、外国人は約1%。店でも一切、消毒・マスク着用を強要されない。

「人は人、私は私」の考え方と「私はコロナが怖いからマスクするけど、あなたには強要しない」という大人な感覚があるわけです。タイへ初めて来たのは00年ですが、まさかタイの方が日本よりも大人の国になっているとは……。

さらに物価も、バンコクではもはや日本とあまり変わりはありません。現状、為替レートは1バーツ＝3・92円ぐらいです。以前はメシ代やらコンビニの商品を買った場合、「100バーツ＝1000円分の価値」といった感覚でしたが、今は「100バーツ＝500円」くらいです。ちなみにビールはコンビニで490㎖缶が200円ほど。マクドナルドはバンコクの方が日本の最低価格よりも高いです。

かくしてコロナとは無縁のパラレルワールドにいるわけですが、その間、日本の国会やテレビの大事な話題は「卒業式でマスクを外していいか」でした。本来国会って社会保障やら国防、金融政策などを議論するのに、与野党とも一大事と扱ったのは「マスク」ですよ。

「中高生が同級生の顔を見ないまま卒業するのは不憫なので最後ぐらいは外させてあげ

たい」「いや、外してクラスターが発生したらどうするのだ！　子供の命が大事」みたいな議論がありました。さらには「国歌斉唱の時は着用」「参列する保護者は着用」とか言い出し、テレビのインタビューに答える校長先生は「明確なガイドラインを作ってもらいたい」なんて言う。

どれだけマスクへの信頼性が高く、そして自分で決められないんだよ！　海外の様子を「○○では〜」とドヤ顔で言う人のことを「海外出羽守（かいがいでわのかみ）」と呼びますが、私もタイの出羽守になってみます。

バンコクでは〜、マスクの着脱は個々人の判断に委ねられており、したい人はする、したくない人はしない、のが当たり前。そして、重要なのが他人に着脱を要求しないことです。互いの考えを尊重しており、マスクの効果を信じる人は、「私はマスクをしているから守られている」と考える。

一方、日本は「より安全になるからお前もマスクしろ！」とマスク警察が言ってくるわけですよ。いや、お前が2枚着ければいいだけだろ？　と思うのですが。それにしても日本って幼稚な国ですね。マスク関連の基準については「バナナはおやつに含まれますか？」みたいな議論をしている。（2023/03/02）

◇「もう終わりだ」と連呼する人たちは「尾張守（おわりのかみ）」と呼ばれるそうです。「守」は古代以降の日本で地方の行政を取り仕切る役職で、「上から目線な物言い」とのニュアンスも含まれるのでしょう。

異邦人として生きる心地よさ

タイ・バンコクに来て6週目に突入しました。これまでに食べてきた料理を振り返ると圧倒的にタイ料理が多く、それ以外ではアイリッシュパブが4回、アラブ4回、インド3回、ミャンマー3回、メキシコ2回、バーガーキング2回、イラン1回、レバノン1回、イタリア1回、韓国1回です。回数は1日2回なので、タイ料理率は75％ほどか。

なぜか日本食は敬遠してしまうんですよね。立派な寿司屋もあるのですが、こちらに来ると200円でメシが食えるだけに妙に金銭感覚がシビアになり、高い寿司を食べようという気にならない。フードコートの寿司は1貫40~80円程度なのですが、カニカマ、マヨネーズで和えたトビッコ・ツナ・怪しげな貝、甘そうな玉子焼き、謎の海藻など、まったく食指が動かない。

チェーン店ではリンガーハット、8番らーめん、大戸屋、すき家、吉野家等もありますが、味の予想がつくほか、日本で食べる方が安いのでこれまた食べたくない。一度だけ日本食を食べたいと思ったのは、地元・唐津の友人がアジとサザエの刺身をツイッターにアップしていた時のこと。この時は「唐津のスーパーでコレ買いてぇ！」と思ったものです。そのうえで、「どうせバンコクで食べられたとしても、唐津ほどの鮮度じゃないだろう」とコレも諦めました。

恐らくバンコクという街は「食」の選択肢が多過ぎて日本料理を食べている余裕がないのでは。唐津にいると各種エスニック料理は身近ではないため、バンコクではこれぞチャーンスとその手の料理ばかり食べるようになっている。

あと、もしかしたら日本語を聞きたくない気持ちが強くなり過ぎたのかもしれません。こちらにいると本当に快適なんですよ。いちいち「お客様の安心のため、最低限の人数でのお買い物をお願いします」みたいな人工的に作り出す騒音的アナウンスはないし、基本的に自動車のエンジンや削岩機で何やら工事している音だけ。

飲食店でも耳をつんざくBGMはエッチなバー以外にはないし、聞こえてくるのは会話のみ。しかも、会話が日本語ではないから何を言ってるのかまったくわからない。英語は時々聞こえてくるものの、日本語で「何それ、ウケる！」「でしょー！」「マジ、やべぇじゃん」「だろ、やべぇよな！」みたいな会話はない。

完全に異邦人として生きていけるのが心地よさに繋がっているのかもしれませんね。私も２０２３年に50歳になり、「友達１００人できるかな♪」とか「ピースポートで海外へ行って海外の友人を作ろう！」みたいな年齢でもありません。妻と何人かの居心地のよい人との人間関係があるだけでいい。そんな中、海外に年間数ヶ月住むというのは快適以外の何物でもないです。

日本での拠点とする街に月４万２０００円の小さな部屋を借り、そこを数ヶ月空けることも厭わない。海外では安めの宿を転々とする。そんな人生もいいかな、と今回思いました。

さて、食の話に戻りますが日本発チェーンで唯一食べたいと思ったものがあります。「一風堂」のソフトシェルクラブ唐揚げを中華風パンに挟んだもの。何じゃコレ？　ですが、興味津々。約６００円。（2023/03/30）

◇さすが世界に冠たるスーパー観光都市・バンコク。色んな面で開放的で選択肢は豊富、互いに過度な干渉は避けるというのが、心地よく感じられる理由なのかもしれませんね。「出羽守」って一度やるとやめられなくなるものです。

不要不急のコロナ対策はなお続く

本当に日本人って一度始めたことをやめられないですね。2022年5月に入ってから政治家やメディアが「脱マスク」について言及を始めました。その際の理由として多く使われたのが「熱中症の恐れがあるから」というものです。マスク生活を続けたい人々は、「熱中症になるというエビデンスを出せ」と反発していますが、そんなものにエビデンスなんていらない。「夏になれば半袖になるでしょう？　皮膚が覆われていれば暑いんだよ」で終了ではないでしょうか。

しかし、実はこれ、全然ダメな理由です。なぜなら9月に入り気温が下がってきたら、またマスクが必要だってことを意味するんですよ。どうせ政府内でこんなやり取りがあったんでしょうね。

「諸外国ではマスク外しているし、岸田首相も海外の首脳と会う時はマスク外していることに対してツッコミが入っていますなぁ……」

「麻生（太郎）さんも前言っていたけど、『いつまでやるの？』状態になってきましたね……」

「ただ、厚労省も分科会もマスクの重要性を言い続けてきただけに、『着けなくていい』といきなり言うのもね……」

「規制を始めるのは得意なのに、やめるのが難しい国民性ですしね……」

「う～ん、『熱中症が危険だから外していい』という理由はどうですか？」

「それぞれ（笑）。マスク様の効果を否定することなく、なし崩し的にやめられそう！」

男性の増毛は少しずつ増やしていき、不自然さを回避しますが、まさにマスクもこのパターンです。「屋外で2メートルの距離が空いてる場合」に始まり、続いて「1・5メートル」にし、2024年までに段階的に2019年以前の姿に戻していく。

やたらと「基準を示せ！」と言う指示待ち国民のために「屋内でも50デシベル以下の声で喋る場合はマスクは不要。51デシベルになったら途端に必要になる」なんて基準ができるかもしれません。なにせ「不要不急の外出は控えてください」というお願いが出た時、「不要不急の基準を示せ！」などと言ってた国民なわけですから。

こうした議論が出てきたのは、「外す基準を政府や厚労省から出して欲しい」という声を受けての流れでしょう。しかし、政府にしても「いや、お前ら国民が勝手に着け始めて我々政治家にも要求してきたんだから、勝手に外してくれよ……」と思っているのではないでしょうか。

それにしてもコロナ対策で様々な設定が生まれましたね。誰かが苦し紛れに言ったようなことが定説になってしまった。一番バカげていたのが、飲食店の酒類提供が20時まで、という設定でした。この理由については「酒をたくさん飲むと気持ちが大きくなり、つい大声で喋ってしまうから」とされました。

これら騒動のおかしな点は陽性者数が減ったら「皆さんの頑張りのお陰」で、増えたら「気が緩んだ」という根性論に行き着いてしまうことです。陽性者数が少なかったアフリカ諸国や、5月12日に初めて認めるまで「感染者は一人もいない」と言い張ってきた北朝鮮では皆さん頑張っていたんですかね？（2022/06/16）

◇コロナを巡っては、科学的根拠のある言葉ではなく、行き当たりばったりの感情論やデマ、陰謀論が目立ちましたね。ちなみに少しずつ慣れていくやり方はマスクの着け方にも適用されました。「憧れの黒マスクをいきなり着けるのは恥ずかしい」ということで、薄い灰色から黒までのグラデーションのある7枚組のマスクを1週間かけて1枚ずつ着け、他人の目を慣れさせるのだとか（笑）。

ホント、「異常な3年間」でした

この3年間は監獄に入っていたと考えると合点がいく。監獄とは罪を犯した者を罰するとともに、反省を十分にし、犯罪をしなくなるまでの時間（懲役）を過ごす場所である。看守は常に囚人の生活様式・態度に対して命令をし、指導をする。クリスマスや正月などは特別料理を出してやり、少しだけ温情を見せ、「あなた達はこういった素晴らしい日常をあなた自身の愚行と他人に被害を与えることで失ったんですよ」と教え込むのだ。

この3年間は決して「新型コロナ禍」ではない。正確に言うと新型コロナ騒動禍、感染対策禍、専門家禍、政治家禍、メディア禍、コロナ脳禍、幼稚な日本国民禍だった。専門家・政治家・メディアから感染対策の重要性を説かれ、生活様式もすべて指導され、従った。それに従わない者は非国民・殺人鬼として、各施設・上司・すれ違う人、果てには家族からも厳しい非難を浴びた。

監獄との関連性でいえば、我々は「過去に誰かにウイルスを感染させた可能性がある」ということが罪となった。懲役刑は、マスクの実質的な強要とワクチン接種の過度な推奨及び自粛だ。「思いやり」「大切な人のため」「大切な誰かの命のため」の言葉とセットになるのが常で、具体的な使役のバリエーションは豊富で「黙食」「移動自粛」「宴会禁止」「花見禁止」「卒業式中止」「無観客試合」などだ。

そして監獄よりも恐ろしいのは、罪の重さを決定する者と、日々の看視者が同一人物ということである。一応、監獄は裁判を経て所定の期間収容され、意思決定者と運営者が異なる。しかし、コロナ騒動では政府分科会をはじめとした専門家と政治家の判断のもと、緊急事態宣言が出されたり、移動制限が出された。すべては彼らの匙加減とフィーリング次第で「まだ何があるか分からない」「これからも変異するから気は緩めない」

「感染対策は文化」と言い続けられたのである。

となれば彼らが万能感を抱くのは当然だろう。何しろ地獄における閻魔様の役割と、鬼の役割両方を兼ねているのだから。地獄というのも今回のコロナ騒動に通じるものがある。鬼は「もう少し耐えたら自由にしてやるからな～ウヒヒ」とばかりに、命令を発する。囚人は「おっしゃる通りにしますだー」と律義に従う。

初期の頃は「今、我慢しておけば早めにここから脱出できる」と考えていたが、次第にこの囚われの身が心地よくなり、反骨心を持った少数の人間を集団で批判するようになる。完全に閻魔と鬼に飼いならされた「小鬼」のような存在になり、マスクをしない者をテロリスト扱いし、コロナ騒動が終わらない元凶扱いする。ワクチンを打たない者は公衆衛生の敵で、卑怯なフリーライダーだと考えるようになる。かくして囚人同士の抗争が各所で発生。圧倒的多数派となった小鬼達は、自らの振りかざす正義に酔いしれた。

小鬼達は律義にマスクを着け、ワクチンを3回以上打った。まぁ、模範囚とでもいえよう。旅行代金が安くなり、海外旅行へ行ったとしても陰性証明不要で日本に帰れることになった。閻魔と鬼は巧みに小鬼にご褒美を与え、地獄の円滑な運営を進行させたのである。
さて、日本、いつまでコロナやるんですかね？　もうどうでもよくなってきた。
（2023/03/23）

◇ストックホルム症候群とは、誘拐や監禁などで拘束された被害者が犯人に対して信頼や共感を抱くようになること。本来は共闘すべき被害者の間でも仲間割れが起こるなど、緊急事態を象徴するような状況が相次いで発生するとされています。

PART V　ビックリ事件簿

「配達するのが面倒だった」郵便局員

「無能な労働者」関連のニュースが大好物です。「郵便物7千通捨てる　コロナワクチン接種券も　容疑で局員の男を逮捕」（朝日新聞デジタル　2022年1月18日）などですね。そして、この手のニュースに登場する主人公の供述が味わい深いんですわ。

20歳の容疑者の男は「『配達するのが面倒だった』と容疑を認め」、「『昨年11月ごろから（郵便物を）持ち帰っていた。処分に困って雑木林に捨てた』などと話し」たそうです。

あのさぁ……。どう考えても7000通もの郵便物、不法投棄したらバレるでしょ？　面倒くさかったのかもしれないけど、まず20歳のキミがやるべきだったのは「郵便物が多過ぎて僕には対処できません！　皆さん、なんとかしてください！」と同僚に泣きつくことだったんですよ。

しかし、彼は「オレが無能だと思われる」「こんな量になってしまったのにこれまで黙っていたことを怒られてしまう」と考え、最善の対策として「捨てる」を選んだのでしょう。ハッキリ言いますが、ただの無能です。7000通を廃棄すれば、数字自体はリセットされますが、この中に郵便書留で現金が入っていたり、とんでもなく重要な通知が入っていてその通知がなかったことによる損害が発生するということを考えないのでしょうか。こうした「郵便局員が郵便物を捨てた」というニュースは時々登場します。その度に私は「あぁ……この男はとにかく仕事がキツかったんだな……」といった感慨を持ち、「じゃあ辞めればいいのに」と思います。

無能な労働者は「とにかくこの一瞬を乗り切りたい」ということだけを考え、まったく後のことを考えない。郵便局を利用した人から損害賠償請求を起こされるかもしれませんし、郵便局からも何らかの形で訴えられるかもしれない。

この手のニュースを愛する私ですが、なかなか好きなのが21年の6月23日から9月3日まで神奈川県横須賀市の公立中学校で発生したプールを巡るバカ先生の件です。この先生、新型コロナウイルス感染を防ぐために、プールの水を常に溢れさせて水質をきれいにする必要があると思い込んで水の栓を開け続け、通常の11倍の水道料金を発生させました。

結果、横須賀市は上下水道料金の損失額約348万円の半額をこの先生と校長・教頭に87万円・43万円・43万円と請求。この先生、給水栓が開いているため閉めた先生がいたのに、その後も開け続け、プールを開放しない夏休み中も栓を開け続けたのだとか。

あのね、誰も入ってないプールの水をなんできれいにする必要があるの？　それに、手足口病のウイルスを除去するための塩素剤も、水を入れ続ければ濃度が薄まってしまうでしょ？

この先生が自宅の風呂も常にお湯を流しっぱなしにしているのであれば、この行為も理解できるのですが、多分自分の懐が痛むからそんなことはしないでしょう。「どーせ税金だからな」という判断でプールの水を流しっぱなしにしたほか、「オレ様のコロナ対策、立派だろ！　出世させてね」という気持ちもあったのでしょう。バカ労働者は頼むから無職になって家に引きこもってくれ！（2022/05/19）

◇近年、手紙やハガキなど郵便物は減少する一方、ゆうパック、ゆうメールなどは増加、とりわけ増えているのが宅配貨物だそうです。ネット販売が主流になり、トラック業界ではドライバーが不足する「2024年問題」が迫ります。

「なぜその発想に至ったか」がわからない

前項で「配達が面倒くさくて7000通の郵便物を捨てた郵便局員」と「コロナ対策になると頑なに信じ、2ヶ月間プールの水栓を開け続け11倍の水道料金を発生させ市から訴えられて87万円を支払った中学教師」について書きました。私が「無能な労働者」関連ニュースが好き、と書いたら、担当のS編集者から「引越屋の社員が顧客406人分の個人情報を自宅のゴミ捨て場に」というこれまた好ニュースを教わりました。

これらと同時に、もう一つ気になるのが「なぜその発想に至ったのか」という類の珍事件です。こういうのは変態系が多いのですが、「中学校等に忍び込み女子生徒のリコーダー（縦笛）や女性教師のホイッスルを盗む男」は各所で発生しています。

同様に、自転車のサドルを大量に盗む男もなぜか存在します。東大阪市の男は、25年間かけて5800個のサドルを盗み、保管庫には月10万円かけていたそうです。東京都大田区でも159個盗んだ男が逮捕されました。この手の男の一人は警察の取り調べに対し「女性の自転車を見分けられる」と供述したとのこと。すごい特殊能力です。サドルはビニール袋に入れ、ニオイを保管するのだとか。

　さらによく分からないのが、不動産サイトＳＵＵＭＯのマリモ状のキャラのビニール人形16体を不動産仲介業者から盗んだ大阪の男です。盗んだ理由は「癒される」。これらについては被害者がいるのでおおっぴらに「好物」と言うのは憚られるものの、自分の発想の斜め上を行く発言には仰天しました。

　そして、私が非常に好きなエピソードが、２０１２年8月に埼玉県狭山市の中学校で発生した3年生女子生徒４人が建造物侵入と器物損壊の疑いで書類送検された件です。朝日新聞デジタルの記事によると、夏祭りの売れ残りの金魚約４００匹を譲り受けた中学生は、過去にも有刺鉄線を切り、夜のプールに侵入して泳いでいたといいます。

　そして「水面に大量の金魚が泳いでいたら、きれいに違いない」と考えた一人の発案に他の3人も意気投合し、金魚を放流し、半裸で泳ぐも、暗すぎて「水面に金魚」という美しい光景は見られなかった――。いや、半裸って……。

　その後、プールは使用中止となり、水の入れ替えにより16万円の費用がかかったと同中学の校長が憤ったそうです。生徒達は「みんなに迷惑をかけて申し訳なかった」と反省しました。この騒動にインスパイアされた長久允氏は、短編映画『そうして私たちはプールに金魚を、』という作品を作り、『第33回サンダンス映画祭』ショートフィルム部門のグランプリを受賞するというオチが付きました。

なんだかこの騒動、私は愛おしさを感じてしまうんですよ。大切な仲間と夜のプールに忍び込んで、夏休みも後半になった頃には処分に困った金魚を放ち、後に親と一緒に出頭する。しかも、この金魚は水泳部員らが回収し、希望する生徒や地元住民にあげたそうです。これも不謹慎かもしれませんが「元気があってよろしい！」と思ってしまう。彼女達も今は24～25歳。どこで何をしているのですかね。

それにしても金魚、塩素で死なないのか？（2022/05/26）

◇同じ犯罪でも、それなりに動機や計画性のあるものもあれば、説明のつかない珍妙な犯罪もあるものです。どちらも人間らしい、と言えばそれまでですが。金魚の件がピラニアで「度胸試しをした」だったら、ちょっとヤバ過ぎる事件になったでしょうね。

特殊詐欺、「ウマい話」は大抵ハズレ

「ルフィ」「キム」がかかわっている全国の連続強盗事件ですが、末端の実行役は日当100万円等の高額報酬に惹かれて犯罪に手を染めました。しかし、次々と逮捕されているわけで、後悔している者もいることでしょう。個人情報のみならず、家族の情報も握られ、今後の報復や脅しに怯える人生を送ることになります。

大体、「ウマい話なんてない」という世の中の大原則を知っていればこんなバイトに応募するワケがない。何かウマい話を持ち掛けてくる人って、別にあなたにとってウマい話を持ち掛けてきているわけではないのです。自分にとってウマい話を持ち掛けているのです。いや、ウマい話を持ち掛けてくるのであれば「お前がやれよ！」で全部終わるんです。なんで儲け話を他人に言うのですかね？　自分がその件を独占すれば利益を全部取れるじゃないですか？

それをつくづく感じたのは、銀行の営業マンとのやり取りです。2013年以降、私は銀行口座に預金が増えまくり、メインバンクからやたらと電話が来るようになりました。REITだの国債だのナントカファンドだのと手を替え品を替え営業してくる。

もちろん、彼らは「これは儲かります！」みたいに言うのですが、700万円ブチ込んだものが気づけば480万円に減っていたこともありました。

なんで私が彼らの電話をとり、実際に会うことになったのかといえば「ウザいから」が最大の理由です。とにかく電話が多いため「分かった分かった。お前から何か買えばもう電話してこないんだろ！」とばかりにヤツらの提案する投資をしてしまうわけです。

あぁ、アホみたいでした。ヤツらが提案してくるものなんてロクなものがなかった。5000万円をブチ込んだ商品は突然の円安により5％の利益が。元々「5％出たらさっさと売れ！」と言っていたのでソッコー売りましたが、5％の利益が出るのに9年です。

結局「おいしい話」を持ってくる人間は、「だったらお前がやれ」に絶対に反論できないんですよ。理由は「それが必ずしもおいしい話かどうかは分からない」から。しかし、自分の営業ノルマやら体面のために、その「おいしい話」に乗っかる営業先をなんとか見つけるわけですね。

正直、こちらとしては、そんな自分の営業成績だけを考えているようなヤツに付き合う必要はない。日本の預金利率の異常な低さにもかかわらずカネを預けてやっているのに、ちょっと多めに持っている預金者を狙い撃ちにして「ここに投資しませんか！」「このままではもったいないです！」と言ってくる。

うるせーよ。余計なお世話だ。だったらお前が買え。

本当に、銀行員との付き合いを経て「ウマい話」には良いことはないな、ということがよく分かりました。まぁ、ある程度バックがしっかりした人間からそんな経験をさせられたことにより、もっと怪しいヤツから騙されることがなくなったかも、とは言えるでしょう。

あと、雑誌の「上がる株」「これから爆騰株」とかも大体嘘です。これらはずっと見ていますが、大抵ハズレです。(2023/02/16)

◇詐欺の手口は長い間ほとんど変わっていないものの、犯罪自体なくならないのは、「自分のところにウマい話が回ってくるはずがない」という意識が薄弱なのかもしれませんね。「還付金が戻ってくるから一度ここに振り込め」というオレオレ詐欺に引っ掛かる人、これも強欲がなせる技でしょう。

「計3点で時価2200円」のトホホ感

もう何が何やら分からない珍事件が発生しました。以前、「札幌の街で熊が現れた後、マスクを着けた全裸男が局部を手で隠しながら路上に登場」という事件がありましたが、今回の舞台は熊本。48歳会社員の男が、部下の20代女性の部屋に侵入し、逮捕されました。この1年以上にわたって数十回侵入を繰り返したというのです。

この男は彼女の部屋の合鍵を持っていたそうで、読売新聞オンラインによると〈ショーツとストッキング計3点（時価計2200円相当）を盗んだ疑い。男は「性的欲求を満たすためだった」と容疑を認めている〉とのこと。そして記事はこう続きます。

〈午後9時頃、女性が知人と帰宅した際、クローゼットから出てきた男の姿が、部屋の鏡に映っているのを知人が見つけた。男のバッグには女性の下着が入っており、クローゼットには合鍵が落ちていたという〉

彼女の恐怖たるや察するにあまりある。この事件、勝手に想像すると不思議ポイントが多数出てくるのですよ。①なぜ合鍵を持っていたのか②数十回も入り、ある程度の量の下着は盗まれていただろうに女性はなぜ気づかなかったのか（気づいていたのか？）
③職場でこの２人は日々どのように接していたのか？　『週刊新潮』「黒い報告書」にも扱っていただきたい案件ですが、下着泥棒の心理というものを本当に知りたいんですよ。
恐らくその下着と彼女を結び付けて臭いをかいだりしながら色々と下半身に手を伸ばし何やら激しく動かすのでしょうが、ここでまた不思議なのが、「興奮するための道具として、普通にエロ動画ではダメなのか？」ということです。住居侵入・窃盗までしてなんで下着が欲しいのか……。

まぁ、この男には罪は償って欲しいですし、懲戒免職になるかもしれません。そして哀れなのが被害者の彼女。職場では臆測から「あの男と昔付き合っていたんじゃないの？」なんてヒソヒソ囁かれ、職場にいづらくなるかもしれません。

というわけで、この事件の表面を辿るだけでこんなに様々な疑問と人間模様を類推できるのです。

一方、事件を深掘りすると途端に哀愁も感じられる。

まず、読売の記事では「知人と帰宅」とありますが、別の記事を見ると「知人男性」とあります。これって、この20代会社員女性の彼氏ということ？　もしや48歳の上司は、彼氏がいる女性に余計な恋心を持っていたのでは？　そして恐らくその場ではその若い彼氏が「お前、何者だ！」と詰問し、110番通報をするまで徹底的に48歳男をシュンとさせたことでしょう。

さらにこの女性、気の毒なことに。「ショーツとストッキング計3点（時価計2200円相当）」ってわりと安くありませんか……。

報道というものを考えると「どこまで言うか」を配慮すべきではないでしょうか。だって、この彼女、すでに「もしかして48歳男と職場で付き合ってたんじゃない？」なんて疑惑をかけられているうえに、「あのさ、計3点で2200円って安過ぎない？」などと余計な揶揄までされてしまうわけです。この記事、報道従事者には日頃の姿勢を見直すべく重視してほしい。（2023/04/13）

◇23年2月、NHKの女性アナ宅に先輩の男性アナが忍び込み、部屋のある階から地上までダイブして逃走を図った末に逮捕というショッキングな事件が起こりました。男性アナは不起訴となり退職。今後の女性アナのキャリアを考えると悩ましい事件でした。

「サンマ」は日本人だけの楽しみだったのに

いやはや、参りましたわ。サンマですよ。すっかり高級魚になってしまいました。かつてスーパーでは1匹78円とかで、乱雑に氷の上に積み上げられていたのですが、今や秋でも店に売っていないことが多い。売っていても、前年の冷凍塩漬けのものだったりする。

先日（2022年）ようやく売っているのを見つけたものの、1匹250円のゴージャス価格で、しかもだいぶ痩せている。かつて腹がパンパンに膨らんで、見事に巨大な苦い内臓を食べるのが至福だったのに、すっかり細って内臓が充実していない。それでも「たまには贅沢するか」と購入。サンマの塩焼きはおいしかったですが、恐らくこれが今年唯一のサンマを食べる機会でしょう。

次にスーパーでサンマと出会う時は379円とかで、さらに身が細くなっているかもしれません。まぁ、仕方がない。水温やら中国・台湾がサンマを獲りまくっていることとかが影響しているのでしょうが、「サンマは日本固有の焼き魚文化である！」なんて今さら主張できるわけもない。

　そう考えると、日本に来る外国人観光客においしいものを食べさせまくるのもどうかな、と思うこともあるんですよ。2019年時点でインバウンド消費は過去最大の4・8兆円。名目GDPの約1％ですし、日本人の国内旅行消費額は約22兆円。

　かつてのソ連ではウニがタダ同然の価格で取引されていたようですが、日本人が「これはウマいんですよ！」と主張したところ、ロシア産も値上がりしたという例があります。私が若い頃、アメリカで「なんでお前ら日本人は魚なんて食うんだ。牛肉の方が圧倒的にウマいだろ」と言われたものです。「はいはい、魚のウマさを知らずに牛肉礼賛していてくださいね（笑）」なんて思っていたのですが、今や世界中で魚は人気で、サンマも高級品になってしまった。

　本当に2015年ぐらいまでサンマは安く、1シーズンに20回ぐらいは食べていました。サンマって楽しいんですよね。内臓と身の部分にポッカレモンと醬油をかけた大根おろしをつけ、ご飯にのせてから海苔で巻いて食べる。あぁ、有明海の海苔、最高ですね。あと、身のうま味と内臓の苦み、最高ですね。おっと、肝臓は最後まで取っておきますよ――そういった楽しみ方ができる魚です。

明らかに焼き魚の中でも楽しむバリエーションが豊富。鮭の切り身であれば、基本①脂が多い部分②赤くなった部分③皮、だけです。食べている途中で若干飽きてしまうのですが、サンマは最後までどのような戦略で食べきるかを考えることができる素晴らしい食材。

10月9日、東京・目黒で「さんま祭り」が3年ぶりに開催。仕入れが困難だったようで、通常は5000匹を焼くのが、今回は目黒区民限定で1000匹となり、9000人からの応募があったそうです。

テレ朝のニュースで取材された行列の先頭の高齢女性は「今の気持ち」を聞かれ「ワクワクよ。もうこんな高級魚、食べられないから」と答えていました。円安や低賃金もあり、今後日本で生活するのはキツいかもしれませんね。サンマが「高級魚」になってしまったのですから。(2022/11/03)

◇かつては年間数十万トンあったサンマの漁獲高は2022年、1万8000トンを割りこみ4年連続で過去最低を記録。温暖化による海水温の変化、中国船による乱獲などが背景にあるといわれ、23年から2年間の漁獲枠の縮小が関係国で実施されるそうです。

「側溝のフタ外され」事故で思い出すこと

2023年4月2日、FRIDAYデジタルに『「ひどい話ですよ」福井県が道路の側溝のフタを外す〝落とし穴〟を作った驚きの理由』という記事が登場しました。

内容は、片側一車線の県道を運転していたAさんが、後ろの車を先に通そうと空き地に入ろうとした。しかし突然穴に落ち、車の下部分から鈍い音がした。なんと側溝のフタが外れていたのだ。修理代は60万円。県の土木部に問い合わせるも、その後たらい回しを経て1ヶ月半後に担当者と現場へ。側溝のフタを外した理由は、地元民からの要望で釣り客が駐車できないようにするため。県からの賠償は3万3000円……。

ひどい話です。入れないようにするならカラーコーンを立てるなり、鉄パイプで柵を作るなりすればいいだけの話。なぜ、事故に繋がる対策を取ったのか。バイクだったら死にますよ！　Aさんの怒りもごもっとも。

この話を聞いて思い出したのが、1993年6月の朝に起きた自分自身の事故です。

大学の1限の授業に出るべく、柵で囲まれた道路脇の工事現場を自転車で通った時のこと。突然、自転車の前輪が「カシャッ」という音とともに急停止、後輪が跳ね上がり、私は道路に投げ出され顔面強打。道に飛び出た太い針金が前輪のスポークに一瞬にして絡まったのです。こめかみからは流血し、吹っ飛んだメガネは完全破壊。そのまま授業に出たのですがクラス中騒然。

帰り道、現場に貼られたプレートから管理者が小平市役所だと分かりました。関連部署に電話をし、メガネ代を弁償するよう言うと、B建設に委託しているからそちらに連絡するよう伝えられます。同社に連絡するとC造園がその作業をしていたから同社に連絡するよう言われました。

C造園は「キチンと管理していた」と言うも、「針金が出ていたのは事実。小平市役所とB建設は貴社の責任と言っている」と伝えたら「はいはい、メガネ代弁償しますから領収書持ってきてください」と渋々言われました。

普段は激安メガネ店へ行くのですが、この時ばかりは安くはないイワキのメガネへ行き、気に入った丸いフレームがあったので、高い極薄レンズを入れてもらいます。店員に「もっと高くしてください」と言ったら色を入れればいいと言われ茶色くし4000

円高くなりました。そして4万2000円也の領収書を持ってC造園へ行くとブスッとした男から「はい、どうぞ」と現金を渡されたのでした。ちなみに今かけているメガネは3300円です。

4月1日から自転車のヘルメット着用が「努力義務（なんだこの言葉！）」になりました。『THE TIME,』は3日、東京・練馬区の光が丘団地では100人中10人が着用していたことを報告。

この割合が今後どうなるかは分かりませんが（注：8月現在そこまで増えていない）、最寄り駅まで自転車に乗る人にとっては学校・職場まで持って行くのは厄介なこと。せっかく整えた髪も乱れますし、買い物途中に盗まれるのもイヤだな、となんとなく尻すぼみになっていくのでは。マスクでもよく分かりましたが、結局「他人がやってるかどうか」が「自分がやるか」の判断基準なのです。ただ、ヘルメットは大事ですよ。

（2023/04/20）

◇ヘルメット着用の方が安全なのは子供でもわかること。自転車は原チャリ同様、車道運転が基本。原チャリにヘルメットが必要なのですから、ある程度の移行期間を設けつつ自転車運転にもヘルメット着用を必須とすれば話は早いのでしょうが……。

大地震の予兆への「またか」感

千葉県一宮町の海岸で2023年4月3日〜5日にかけ、30頭以上のイルカが打ち上げられたことは地震の前兆では、と『週刊現代』4月15・22日号が報じました。記事では、東日本大震災の7日前、茨城県の海岸に約50頭のイルカが打ち上げられていたことも挙げています。そして科学ジャーナリストによる「イルカは電磁波に敏感。海底の岩盤の動きが活発化した時に発生する電流により、方向感覚が狂ったのでは」との分析を紹介します。

しかし、私はこの手の「海岸に普段はいない生物が打ち上がったのは大地震の予兆説」ってのはどうも信用していないんですよ。何しろ、大量のボラが浜離宮の近くの川に集結した時も、深海魚・リュウグウノツカイが海岸に打ち上げられても、ダイオウイカや鯨が打ち上げられても「大地震の前兆」説は登場する。しかし、来た例(ためし)がない。

いや、来るのを願ってるわけではないですし、地震には普段から備えるべきですが、この手の狼少年的分析、そろそろ科学的に覆されてもいいのではないでしょうか。○○があったから××が起こる予兆というものは、何にでも当てはめることができます。過去の大地震を分析し、発生した珍しい事象の共通点を見つければいい。それは何でも良くて「雷雨」「季節外れの気候」「花粉の飛散量激増日があった」「黄砂の量が多かった」「満月の前後」などの自然現象に加え、「飼い犬がやたらと吠えた」とかでもいいのです。「海岸に打ち上げられた」が地震の前兆の根拠になったのは、地震の前にナマズが暴れる、という昔からの言い伝えをベースとしているのではないでしょうか。だから、水中生物の異常行動が地震と安易に結び付けられてしまう。

「国家が隠す事件・ニュースの真相を公開する」を謳う、とある個人ブログがあります。このブログでは、２０１６年の北海道内における鮭の不漁を地震と関連づけているのです。本当かよ。

冒頭のイルカ記事に戻りますが、過去のイルカ打ち上げと東日本大震災を結び付けているものの、現場は茨城ですよ？　震源地の宮城県沖からかなり遠いのですが……。電磁波にしても、海上保安庁の巨大な船や米軍の空母や潜水艦が通ったら強力な電磁波を発するわけで、各地で毎日のようにイルカが打ち上がっていてもおかしくない。むしろ群れで動くイルカのうち、先頭を泳ぐ個体が途中、方向感覚を失って暴走し、それにひきずられた後続イルカも続々と海岸へ打ち上げられたのではなかろうか。

南半球ではペンギンが海岸に多数生息しているのが見られますが、2022年、ニュージーランドで大量のペンギンの死骸が海岸に漂着したのは異常扱い。これは気候変動が原因とのことです。海水温が上がり、浅い海を泳ぐ魚が深場へ行き、ペンギンがエサを捕獲できず餓死したのだとか。

それにしてもテレビですよ！　朝の情報番組で星座占いをランキング形式で流します。順位が12位になった星座の人に対しては「ごめんなさーい」と言ったうえで「でも大丈夫！」と、ラッキーアイテムを教えてくれる。その内容が毎度ずっこける。「かつ丼を食べましょう」とか一体なんなんだよ！（2023/04/27）

◇人の不安な感情に入り込んで陰謀論やデマを吹き込むやり方は、ＳＮＳと絡んでかなり広範囲に深く世の中に浸透しているようです。もっとも朝の情報番組の星座占いも、似たようなものかもしれませんが。

PART Ⅵ　可もなく不可もなし

「検討使」時代の岸田首相

岸田内閣の支持率、なかなか下がりませんね。2022年6月中旬の日経新聞とテレビ東京の調査では60%、毎日新聞は48%。なんでそんなに違うんだよ。どちらかが恣意的な聞き方なんだろ。いずれにしてもこの無能っぷりにしては高いな。というのはさておき、正直、岸田内閣なんて私はまったく支持しません。以前、69日で退陣に追い込まれた宇野宗佑内閣が最悪だと思いましたが、今は岸田内閣が最悪だと感じています。

今の時代、物価高、超円安で庶民生活は大打撃を受け、さらには終わりが見えないコロナ対策、鎖国継続によりストレスだらけで、インバウンド収入も激減。2019年以前までの日本を返せ、オラ！　と言いたくなります。

いずれに対しても岸田文雄首相は「緊張感をもって対応する」や「関係各所と連携し対応する」とまさに22年の「ネット流行語大賞」を取る勢いの「検討使」っぷりを発揮。

さらには、インフレもロシアによるウクライナ侵攻のせいにするだけ。マスクを外すことやコロナの5類感染症への変更についても「現実的ではない」と言い、何も変えない。いや、東京のコロナ重症者「0人」が続いているのですが……。どうなれば現実的になるんですか?

こうした姿勢でよく分かるのは、結局日本は「現状維持」が支持されるということですね。参議院選挙もまぁ、自民党の勝利でしょう。もう、日本が変わることにはまったく期待しません。自分は自分の人生を生きる。政治にも他人にも期待しない。それだけでいい。

「現実的ではない」って便利な言葉ですね。まさに岸田氏の専売特許のような言葉になりましたが、彼が家や友人との付き合いでもこれを言っているのであれば、少しだけ愛嬌が出てきます。

「おい、岸田、お前、総理大臣になったみたいだな。今日はパーッと『養老乃瀧』で飲もうぜ!」

大学時代の友人がこう岸田氏に言ったとしましょう。そこで岸田氏はこう言う。

「私のような総理大臣は、常にSPが付き、事前に予約をし、他のお客様が入らないようにする必要があるため『養老乃瀧』へ行くことは現実的ではない。ここは秘書に諮り、セキュリティの専門家に状況をお伝えしたうえで、貴殿と『養老乃瀧』へ行くかどうかは検討したい」

友人からすれば「総理大臣と飲んだ！」とツイッターで自慢したくなるかもしれませんが、「岸田と会うのは面倒くせぇな」と思うことでしょう。

昔から思っていたのですが、なんで人って総理大臣やら大統領になりたいんですかね？　だって、カネと名誉と地位はもらえても、それ以外の人生、制限をかけられまくり、つまらなくない？　世界の盗塁王・福本豊氏ではありませんが、国民栄誉賞をもらったら立ち小便さえできなくなる、という感覚で辞退する方に私は共感します。

岸田氏が首相に就任して以来、彼の「腹から出る言葉」は聞いた記憶がありません。常に、全体最適を考え、「検討する」「専門家の意見を聞く」ばかり。

権力者になるんだったら、ミサイル打ちまくる金正恩や、戦争をやろうと決めるプーチンみたいなことしたくないの？　いや、金正恩とプーチンの行為はまったく認めてませんよ。（2022/07/07）

◇G7広島サミットはウクライナのゼレンスキー大統領のリアル参加もあって、仕切り役の岸田首相のイメージも大きくアップ——かと思いきや、かねて問題の長男が官邸での忘年会を暴露されて更迭。上向いたかと思えば落ちる支持率、わが最高権力者の評価もまた「検討」せざるを得ないようです。

下着2枚を重ね着したころ

本当にどうでもいいことに人間は悩み続けるものです。大学1年生の夏休みが明け、後期開始初日の1993年10月1日、語学のクラスメイト・N君が昼休みに「話がある」と真剣な顔で言ってきました。彼との間で何もトラブルはないし、彼の家は裕福なので借金を申し込まれることもなさそうなのにどうした？　と訝しく感じましたが、二人してベンチへ。「あのさ」と言ってから彼は数秒黙りました。「早く言え！　気になるだろ！」と私は内心思いましたが、彼の口から出てきた言葉は拍子抜けするものでした。「オレはキミを『中川君』と呼んできたが、新学期にもなったことだし、『お前』『中川』と呼んでいいか？」

「当たり前だ、さっさとそうしろ！」

4月の初授業の時、苗字順に席に座りましたが我々は隣り合わせとなり、彼にとって初めて喋ったのが私でした。だから、最初は敬語で喋り「キミ」「中川君」と呼び始め、そのまま前期はその呼称が続き、夏休みに突入。彼にとっては5月ぐらいから「この呼び方、同級生で仲がいいヤツに対してよそよそしいよな。でも、どのタイミングで他のヤツと同じように『お前』『中川』にすべきなのだろうか……」と逡巡し続けていたことでしょう。

そして新学期開始というキリの良いタイミングで意を決し、この告白をしてきたのです。以来約29年、「お前」「中川」は維持されています。良かった良かった。

あと、中学1年生の3月、クラス替えの直前、私はAという男と何としても同じクラスになりたくなかった。とにかくエラソーなヤツで、ケンカも強く、登校時時々一緒になると自分がいかに強いかを自慢するのです。いつか、こいつからぶん殴られる日が来るかも、と思い、少しでも距離を置いておきたかった。当時、私は運動のため、自宅の階段を一日100往復走って上り下りしていました。一段ずつ「（Aと）同じクラスになる・違うクラスになる」と心の中で言いながら上り下りし、最後の階段を下りた時に「同じクラスになる」の結果が出た時の落胆ぶりったら……。

そして本当に同じクラスになってしまいましたが、Aは2年生になり案外大人になったのか、ケンカ自慢はしなくなっていましたし、私を殴ることもなかった。一体、何を心配していたのやら。

一方、「それはお前、重要だからキチンと解決すべきだったぞ」というものもあります。アメリカの高校へ通っていた時、ヤシの木などトロピカルな柄が雑然と配置されている赤地の短パンを発見。すっかり気に入って、これをブリーフの上に穿いて学校に通い、放課後もコレで過ごしていました。

しかし、冬に入ってもこの手の短パンは店の同じコーナーに売られ続けている。下手すりゃマイナス25℃にもなる気温の低い街でしたから、いくらなんでも私も気付く。これはトランクスだったのです。別の言い方をすれば下着。なんと、私は下着を2枚重ね着し、公の場に出ていたのでした。一度も他人から指摘されませんでしたが、「変わったヤツだな」ぐらいにしか思われていなかったのかもしれません。さすがは自由の国アメリカ。（2022/09/29）

◇自由の国アメリカでも、伝統的な価値観を大事にする保守と、個人の自由を重んじるリベラルの対立が深まっています。まあパンツであれ主義主張であれ、他人に迷惑をかけない限りは別にかまわないのでは。

お決まりの定型句を疑う

いつも行っているドラッグストアの店内アナウンスは「カンセンタイサクノテッテイヲー！」などと一切言わず、①各種商品の宣伝②万引き犯がいたら通報し、安心な買い物ができるようにしよう③レジが混んできたら従業員はヘルプに入れ――が主です。実に効果的な店内アナウンスです。貼り紙にしても「当店では価格を安くするためポイントカードやキャッシュレス決済は導入していません」とある。実に合理的です。

しかし、多くの小売店でもっとも大事なアナウンスは、マスク着用・アルコール消毒しろ・少人数で来い・レジでは他の客との間隔を空けろ・短時間で帰れといったものになっています。つまらん買い物だ。

それはさておき、冒頭のドラッグストアのアナウンスで毎回笑ってしまうのが、疲労関連に効果があるとされるサプリの宣伝文句です。ダンディな男性の声で「忙しい現代人は……」という言葉から開始し、いかにそのサプリの成分が疲労回復に効果があるかを述べる。

これの何がおかしいかといえば、1988年、「24時間戦えますか」のコピーで知られる「リゲイン」の時代を経て、私が大学生になった93年、すでに「忙しい現代人」という言葉は普通に使われていたのです。いや、現代人、スマホ見てばかりで暇でしょうよ。「現代人」はなんでいつも忙しいことになるんだ。

知り合いの医療従事者は、朝の7時から23時まで働く日々が続いたと嘆いていましたが、これは少子高齢化による若年労働力人口比率の減少と、コロナ過剰対応による人手不足、さらにはワクチン強制による離職続出が招いたものです。リモート会議や、PCでの書類作成により合理化ができたので、本来現代人は昔より時間に余裕があるのに、深く考えず「忙しい現代人」と使ってしまう。

ライターの知り合いにこれらへの違和感を伝えると、こうした定型句を使いがちであることを反省していました。「街が賑わうクリスマスシーズン」「若者の街・原宿」「何かと忙しい年末年始」「夢を抱いた若者が巣立つ季節」「幻想的なライトアップ」「○○さんは無言の帰宅となった」などがソレに当たります。

あと、著名人の発言・行動に対し、SNSの反応を見て安易な記事を書くネットニュースでも、こうした定型句は使われます。「△△の〝神対応〟に『震えた』『なんという人格者』など絶賛の声」「××氏、洪水被害者に対する『住む場所を考える必要がある』との発言に賛否両論」。

コレ、本当に卑怯な記事の作り方なんですよ。もちろん「絶賛の声」はあるでしょうし、賛否両論にはなったのでしょうが、まったくメディアとしての批評がない。あと、敢えてバカっぽい人のコメントを入れるのもテクニックです。

「◇◇（女性アイドル名）のギャル風コーデ公開に『かわゆす』『キュン死』するの声」みたいな感じですね。こうした記事を書くライターは「どんなバカなコメントがあるかなｗｗｗ」なんて考えながらツイッターやインスタグラムのコメントをチェックしているのでしょうが、こういう記事を書き続けてもスキルは上がりませんよ。まぁ、ライター自体もはや供給過多の、終わった職業なので仕方ないか。（2022/10/27）

◇紋切り型の定型句に馴れきった「忙しい現代人」は、生成ＡＩに真っ先に書く仕事を奪われそうです。ＡＩ時代にも通用するスキルを持った人材になり、人生１００年時代を生涯現役で生き延びようではありませんか（って定型句で締めてみた）。

何でもいい、役割があれば……

２０２３年５月に広島でＧ７サミットが開催されますが（※執筆は２０２３年２月）、岸田文雄首相はホッとしていることでしょう。というのも、日本開催は７年に１回であり、自分の首相時代にそのホスト役ができるのです。そして何にホッとしているのか……「疎外感を味わわないで済む」です。

何しろ毎度サミットの映像を見ると、こちらは恥ずかしくなってしまいます。日本の首相は海外首脳が談笑している中、蚊帳の外で「ぼっち」状態も見られる。記念撮影をする場合、慣例として中央にホスト国の首脳がいてその両隣から、在任期間の長い順に並んでゆき、短いほど外側に行く。EU首脳は常に端っこです。日本の首相はコロコロと代わるものですから、中央にはなかなか行けない。背も小さく存在感がない。

2017年、トランプ米大統領は、初めて参加したイタリアで行われたサミットで堂々とイタリアの首相の脇に割り込んで写真を撮る。さらに、1983年、アメリカで行われたサミットでは就任1年目の中曾根康弘氏が中央に割って入りレーガン氏の隣に行ったなんてこともあった。

以来サミットを見ていますが、恥ずかしくなかったのは小泉純一郎氏と安倍晋三氏。二人ともズケズケと各国首脳と喋り、在任期間も長いから各国の新しい首脳に対して「ワシはベテランだかんな!」という空気を醸し出していました。そして、五輪にも出場した経験を持つ麻生太郎氏。2009年のサミットではサルコジ仏大統領とメドベージェフ露大統領にファッションを自慢しているのか満面の笑みを浮かべ、二人が麻生氏のカフスかバッジを覗き込む写真が話題となりました。

寂しそうな点で印象に残っているのが菅直人氏。各国首脳が輪になって談笑している外から愛想笑いを浮かべている映像を思い出します。菅義偉氏も、コミュニケーション上手でないため、2021年のサミットでは寂しそうでした。

ラッキーだったのが2008年、洞爺湖サミットのホストを務めた福田康夫氏では。鉄面皮の官房長官的イメージがあったので、にこやかな交流ができるのか……と心配していたのですが、ホストだったため、そこそこ存在感は示せていました。そういった意味で、広島が地元の岸田氏はもみじ饅頭やら宮島、穴子、お好み焼きの話などをして和気藹々とした雰囲気は作れそうですし、原爆に関しては実態をわかってもらえ、22年のサミットでの緊張した様子とは異なる姿を見せられるのでは。

人間、「やることがある」「役割が与えられる」とホッとしますよね。イベントやら送別会等の立食パーティーで、私は受付をやるのが好きです。何しろ、一人ぼっちでビール瓶とグラスを持ってキョロキョロする事態を回避できるから。「私は写真が趣味です」なんて言う人がひたすら一眼レフカメラで現場の様子を撮影しているのも同様でしょう。

そんなサミット、一つ注目しているのが各国首脳と随行員が素顔なのに、日本のスタッフや沿道の人々が全員マスクをし続けているか否か。「なぜ彼らはマスクをしているのだ」と岸田氏が聞かれたら「我々の周囲には陰陽師による結界がある」と日本的ジョークを飛ばしてほしいものです。（2023/02/09）

◇イギリスのスナク首相は「カープソックス」を着用したりして、話題を呼びました。ホスト国のトップは色々と気を遣ってもらえるようです。沿道では警備を担当する警察官はもちろん、集まる人たちの間でもマスク着用率が高かったですが。

機内食廃止への妥当な感じ

ＪＡＬとＡＮＡで機内食廃止に向けた動きが始まりました。上級乗客は事前にラウンジでおいしいご飯を食べますし、エコノミークラスの乗客だって寝たり仕事に専念したりしたいのに、隣でせわしなく片付けをされるのは煩わしい。何より機内食は大抵まずいです。

だからこの流れには賛成。飲み物とスナック菓子程度でいいです。何しろエコノミーの定番である乾燥パンや謎の甘過ぎお菓子、それにキュウリの種が肥大化したような非新鮮野菜はヒド過ぎる。毎度残します。

魚を頼めばあんかけの水分を吸いまくった分厚い衣付きで、パスタは茹で過ぎだし、鶏のトマト煮は固い。ソバは粉っぽくてプチプチと切れまくる。結局つけあわせの茹で野菜に塩と胡椒をかけてビールのつまみにするのが一番ウマいという体たらく。希望者のみの事前注文制（有料）でいいでしょう。

東南アジアであれば東京以西の日本からは4〜7時間程度。このくらい食事間隔が開くことはよくあるわけで、搭乗の前後に機内食よりもおいしいものを食べる方が幸せです。

とはいっても、時々ウマい機内食ってのもあるんです。人生最高の機内食は1993年、ノースウエスト航空でシカゴから帰ってきた時に軽食で用意されていた細長いハムサンドイッチです。これは「うぉぉ！」と思うウマさで、4切れをすぐに食べてしまいました。

これが漫画『美味しんぼ』54巻「父のサンドイッチ」という回に登場したものとソックリでした。同作では、外国人向けのサンドイッチを提供する店の出店コンペが描かれました。他のコンペ参加者は創意工夫に溢れたサンドイッチを出すのですが、この回の主役である母子が出したのは食パンを細く切り、8枚ほどの薄いハムを挟んだだけのもの。外国人審査員は当初この母子にやる気がないと思ったのですが、これこそが彼らが自国で慣れ親しんだハムたっぷりサンドイッチ。日本のペラペラハム1枚だけが入ったサンドイッチに欲求不満だった彼らは、このハムサンドを採用するのです。

話がそれましたが、昔、「なぜ機内食はマズいのか」について予備校講師と議論したことがありました。彼の仮説は「運賃は据え置きなので材料費をケチって利益増を図っている」というもの。機内食の製造会社と航空会社はナァナァの関係で、自由競争原理が働いていないとの推測です。

似ているのが、新型コロナのホテル療養者に各自治体が食事を配った件。同じ自治体なのに、ホテルによって豪華さが違う。大阪府は「金額と内容が見合っていない」とのネットの指摘を受け、実態調査をしました。その結果、2022年3月、41の施設中19施設が1日あたり2700円のうち最大700円をピンハネしていたことを発表。自由競争ではない時の「あるある」ですよね。

あと、機内食を選択制・廃止にした場合、一度に大勢が便所へ行かなくなる利点もあります。みんなが一斉に食事をするから、約20分後にはトイレが大混乱になり、我慢に悶える人も……。その後も便意・尿意は何度か来るわけで、狭い座席を移動するのは窓際・真ん中席の人も恐縮するし、通路席の人も面倒。これがなくなるだけで、かなり空

の旅は快適になります。（2023/05/04・11）

◇コロナ禍は様々なものを合理化するメリットもありました。ＬＣＣなら当たり前だった「機内食の選択制」導入もその一つかもしれませんね。

「辛くない」「次は辛く」の攻防

辛い食べ物ってのに対し、なぜかくも無駄な挑戦をしてしまうのでしょうか。

先日、唐津のまぜそばの店に行き同店のＭＡＸである「10辛」を食べたんですよ。そうしたらそこまで辛くはない。

店主に「さらに上はあるんですか？」と聞いたら不敵な笑みを浮かべ「裏メニューで12辛まである」と言うではありませんか。なぜ「20辛」ではなく「12」なのか、という疑問はさておき、次回行った時はとりあえず「11辛」の実力を見ようと思ったら、これがとんでもない代物でした。

11辛からは、世界一辛い唐辛子とされている「キャロライナ・リーパー」の粉末が入っていて、食べた瞬間は「ウハハハハ、辛党のオレ様にはどうってことねぇ！」と思ったのですが、数秒後、猛烈な辛さが襲ってきました。これはヤバい。「11倍」を謳ってはいるものの、多分「30倍」です。「12倍」は「60倍」でしょう。こりゃ今後は、10辛でいくしかない。

昔、『TVチャンピオン』（テレビ東京系）という番組で、「激辛王選手権」がありました。第3回激辛王選手権では、予選で「特辛子煎餅」をどれだけ食べられるかを競い、本選一回戦では「特製赤池地獄スペシャル」というラーメンを、参加者が汗をかきながらひたすら食べ続ける。

良識派からすれば完全にバカの所業ですが、「激辛道」の求道者からすれば、これは実に尊い行為なのであります。飲食店のメニューに「1辛～10辛まで用意しています」なんて書いてあったら「よし、10辛、頼んでやるぜ」となるのはチャレンジャーとしては当然のこと。

今回私はそれを制覇したわけですが、その上を提案されたため、「よっしゃー、オレ様に食えない辛いものはないぜ！」とばかりに「11辛」を頼み、見事に撃沈。

しかし、この手のことは過去にも経験しているんですよね。千葉県南船橋に台湾料理のとある名店があるのですが、会社員時代の私はクライアント企業が船橋にあったため、毎月この店へ行っていました。酸辣湯麵とチャーハンのセットがあり、「辛くできます」の注記が見えます。私が初めて行った時「両方を少し辛くしてください」とお願いしたところ、他の人よりは辛く感じた程度。会計時に「まったく辛くなかったです」と伝えたら「じゃあ、次はもっと辛くするよ！」と言われたのですが、次回もあまり辛くない。

毎度「辛くない」「次は辛くする」の攻防を経て10ヶ月後、すさまじい辛さがやってきました。真っ赤になった酸辣湯麵のスープを蓮華で飲み、そのうえで唐辛子を細かく切ったものが至るところに入っているチャーハンを一口食べたらこれまでにないレベルだった……。両方とも少し食べただけで完全にギブアップしてしまったのです。

この時私は店主に対して「ごめんなさい、負けました」と言いましたが、今回の唐津のまぜそば「11辛」はそれ以来の「負けました」でした。

正直、辛さ勝負なんてするのバカなんですよ。適度においしい辛さがあるのに、なぜか挑戦してしまう。それはさておき『TVチャンピオン』では「汗かき王選手権」もありました。高温の中、汗の量を測る勝負ですが、コレ、汗っかきの私は次があれば勝負したい。

決勝の様子はすさまじくシュールでした。何しろ、パンツ一丁の男数名が洗濯機の下に置く水受けみたいなものにあぐらをかいて座り、ひたすら黙り続ける。彼らから流れ出る汗が水路を伝って瓶の中に入っていく。瓶は濁った汚い液体が入っている。しかも、実況担当も何を実況していいのやら分からず、「わー、これはすごい！」程度しか言えない。やっぱ、意地を張るだけ、かつカネが儲からない勝負事ってバカですよね。

(2022/08/04)

◇「辛さ」はロマンというところでしょうか。その点、臭いについて果敢に挑むコンテンツはあまり聞いたことがありません。塩漬けニシンの缶詰「シュールストレミング」はよくテレビに出てきますが、いつも嫌われ者です。

「異物除去マニア」垂涎のひと時

私は87年から92年までアメリカに住んでいましたが、その頃ＭＬＢの試合でレギュラーを張っていた選手が日本に次々とやってきたのには感動しました。その筆頭がフリオ・フランコです。91年に打率３割４分１厘でアメリカンリーグの首位打者に輝き、ロッテに95年と98年に在籍。その後メジャーに戻りましたが、49歳までプレーし続けるという鉄人ぶりを見せました。

あと、地味ではありますが、91年のワールドシリーズで優勝したミネソタ・ツインズの主力だったダン・グラッデンとシェーン・マックが巨人に入ったのにも大仰天！　グラッデンは、ツインズの１番打者として堅実なプレーを見せ、キャリア最終年の巨人では98試合で２割６分７厘、15本塁打と及第点の活躍を見せました。マックはツインズが優勝した前年に３割２分６厘を達成。グラッデンが退団した翌年から始まった巨人での２年間は20本塁打、22本塁打とこれまたナイスな活躍。

しかしながら、我が阪神タイガースはロクなもんじゃない。もちろんランディ・バース、セシル・フィルダー、マット・マートンといった名選手はいたものの、毎度「バースの再来や！」と言われた選手が期待外れに終わる。

そして、私がアメリカ時代に見ていたロブ・ディアー、マイク・グリーンウェル……

コレがすごい！　ディアーはとにかく「本塁打か三振か」みたいな選手で、打率1割台は当たり前。メジャーで三振王に4回輝き、シーズン最高本塁打数は33本。阪神のフロントは「日本の狭い球場なら当たりゃ本塁打になるだろうw　こいつ、打率1割9分1厘とかでも60本打つんじゃねw」みたいな気持ちで獲得したのかもしれませんが、阪神ではまさかの1割5分1厘、8本塁打。

それから忘れてはいけないのがグリーンウェルですよ。「神のお告げ」と突然言い出して7試合出場しただけでアメリカに帰ってしまった。88年にはボストン・レッドソックスで3割2分5厘、22本塁打、119打点を叩き出し「ミスター・レッドソックス」と呼ばれたほどの偉大な選手。しかし、日本では7試合で本塁打0。なんじゃこりゃ。

（2023/01/26）

◇欧米諸国に比べて日本では長年にわたって平均賃金が停滞、今やアメリカの半分になってしまいました。日本のスター選手がメジャーを目指して次々海を渡るのも、必然というものでしょう。

ご存じですか？「大谷翔平は直江」

ＭＬＢ・エンゼルスの大谷翔平、痛快ですね。何しろ、アメリカの名だたる野球解説者が２０２２年シーズン、必死になって「大谷よりもヤンキースのアーロン・ジャッジの方がすごいもん！」と口を尖らせて力説しているから。アメリカンリーグのＭＶＰ争いで、この２人のどちらが相応しいかが同シーズン終盤の大きな議論になっていたのです。

２０２２年9月時点で大谷は規定投球回（１６２）達成間近で、規定打席はクリアしています。それでいて打率２割7分1厘、34本塁打でアメリカンリーグ4位、90打点、11盗塁。投手としては14勝８敗、防御率２・47でリーグ5位。奪三振数は２０３で奪三振率（一試合あたりの三振数）は11・94と全米一。打者としては中軸打者に相応しい数字で、投手としては完全にエース。

ジャッジの成績は3割1分5厘、60本塁打、１２８打点で今のところ三冠王ですが、まぁ、一流選手二人分の活躍をしている大谷の方が上でしょう。

ジャッジびいきの解説者は、ＷＡＲ（投打合わせ、勝利に貢献した活躍を数値化したもの）

において1位がジャッジ（10・3）で、大谷は2位（8・8）であることを根拠の一つにしています。そして、ヤンキースは優勝争いをするほど強いが、エンゼルスは弱い。よってジャッジの方が価値あるもん！　と言いますが、以下の疑問には、どのように答えるか。

①強いチームでWARが高いジャッジはすごいが、弱いチームで勝利に貢献する大谷もすごい。
②大谷は打線の援護がない弱小チームで投手として勝ち頭。
③弱小チームで相手が大谷を徹底的に警戒する中、挙げた数字は価値がある。

とはいっても、アンチ大谷派の言い分も理解できます。「優勝争いに絡まないチームだからのびのびと自分のことだけ考えてプレーができる」が一つ。あとは、「このままだと毎年大谷がMVPを取ってしまうではないか」ということですね。打者として2割5分、12本塁打、45打点、投手として17勝10敗、防御率3・35とかだったらMVPは無理でしょう。しかし、強豪チームに移籍し24勝5敗、防御率1・79等の圧倒的な投球でサイ・ヤング賞を取って、このような打撃成績をあげたらどうなるか？

これまた再び論争が発生するわけで、一人の日本人がＭＬＢを困惑させている様が痛快なのです。しかし、アメリカのすごいところは、大谷のような例外的な選手が出た場合に柔軟にルールを変更することです。投手として出場し、降板しても打者として試合に残れるルールは通称「大谷ルール」と呼ばれています。この変化を恐れぬ姿勢は見習うべきです。

ならば解決策はどうするか？　投手最高の賞に「サイ・ヤング賞」があるのですから、打者最高の賞として「タイ・カッブ賞」などを公式に作って表彰し、ＭＶＰはあくまでも総合力で判断する。

ちなみに大谷が匿名掲示板「5ちゃんねる」（元「2ちゃんねる」）に登場する時は「直江」という言葉が書き込まれるのが定番となりました。日本のメディアのＭＬＢ報道は基本的には、日本人選手の打順・守備位置を述べ、打撃／投手成績と続け、通算成績を紹介。そして最後に「なおエンゼルスは3対8で敗北」と締め、チームの勝敗は二の次。この妙な報道の仕方が「なおエ」と呼ばれるようになり、漢字の「直江」になったのです。（2022/10/06）

◇2022年、球団史に残る14連敗で話題になったエンゼルス。メジャー球団の中でポストシーズンから最も長く遠ざかり、大谷は「9月のモチベーション維持に苦労した」とコメント。フリーエージェント（FA）となる23年オフの動向が注目されています。なお、22年シーズンの最終結果は打率2割7分3厘、34本塁打、95打点、11盗塁。投手成績は15勝9敗で防御率は2・33、奪三振は219でした。ジャッジは打率3割1分1厘、62本塁打、131打点、16盗塁。確かに打撃に関しては大きく差をつけられていますが、大谷の投手としての貢献度を考えると……（後は言いません）。

PARTⅦ　ラクに生きよう

自分なりの「法則」を作る

おまじない、かつ、コジツケにもほどがある！　と言いたくなるものですが、意外と人生においては「重要な周期」ってあるのでは、とも感じるんですよ。干支が私の場合ではそれにあたり、いわゆる「年男」の年に自分の人生を大きく好転させる何かが発生しているように思えます。これがあると、多少、人生が下向いていたとしても「あと○年耐えればまたいいことがあるはずだ」と思えるようになり、救いが生まれます。こんな感じでした。

１９８５年（12歳）：前年の夏休み、九州の祖母の家に一人で１ヶ月滞在したところ、34キロだった体重が49キロに激増。そのまま年末まで食べ続け、57キロに。新年を迎えダイエットを決意。身長が伸びたにもかかわらず、１年で42キロまで落として中学入学時は標準的な体重に。以後、「絶対にデブにはなりたくない！」思想が定着し、暴食は避けるように。

1997年（24歳）：小中高校大学の勉強時期を経て新入社員に。

2009年（36歳）：初めて本が売れて仕事が殺到するように。現在の配偶者と出会う。

2021年（48歳）：前年11月、東京から唐津へ移住して実質的に初めての年。新たな土地で別の基盤を作った。ようやく穏やかな仕事ぶりになった。

他の年にも時々人生を大きく変えることはあったものの、こうしてキレイに年男の年に色々と人生がガラリと変わってきたのです。

これに似たことはジャーナリストの津田大介さんも言っていたことです。彼は「ライターになった」「ネット分野に注力するようになった」「本を出した」「メルマガを開始した」「ネットで生配信を開始した」「大学で教鞭を執った」「TVによく出るようになった」などが3年おきにあり、以前会った時「来年がその次の3年目になるから、また変わると思う」と言っていました。

そして、アストロロジャー&スピリチュアリストの來夢さんと、経営コンサルタントの神田昌典さんは「春夏秋冬理論」を提唱しましたが、これの意味は「人生は、12年でひとサイクルする成長カーブの連続」とのこと。「導入期」=「冬」、「成長期」=「春」、

「成熟期」＝「夏」、「衰退期」＝「秋」ということだそうです。各3年の四季を経ることで人生のありようが分かるとのこと。

私自身、自己啓発書やビジネス書は一切読みません。自分が暗黙知で理解しているものを言語化できない人が読む類の本だと思っているので。しかし、この「春夏秋冬理論」は、まさに津田さんと私の感覚を掛け合わせた論に合致するものです。

こじつけでもなんでもいいですが、自分なりの「法則」を作るとラクに生きられるかもしれません。たとえば「西日本出身者と私は気が合う」等の人間関係でもいいですし、「午前中に仕事の大半を終わらせれば、その日の午後と夜を幸せに過ごせる」とか……。

あと、私自身「2番手と合う法則」を完成させました。業界最大手企業とは合わないんですよ。就職活動の時は広告業界No.1の電通は書類審査で排除されるも、No.2の博報堂は内定獲得。IT系仕事では当時No.1人気のライブドアではなく、No.2のサイバーエージェントと深い関係に。そして講談社ではなく小学館、文藝春秋ではなく新潮社と、といった具合です。（2022/06/23）

◇「2番じゃだめなんですか⁉」という蓮舫発言が流行語になったのは2009年のこと。自分のことなら2番でも3番でもかまいませんが、国にとっての重要政策となれば話は別であることは今さら言うまでもありません。

長文の悪夢にうなされる夜

最近、悪夢がひどいです。昔から「辿り着けない」系の悪夢は多かったのですが、その頻度が高くなった。たとえば大学4年生の6月、単位がギリギリなのにそれまで授業に一切出ず焦り始め、授業に出ようとするもの。しかし、自分が一体何の講義を取ったか覚えておらず、授業に辿り着けない。「このままじゃ卒業できないよー！　内定辞退しなくちゃいけねぇ！」と焦るのですが、起きた時「オレはもう49歳だな。あぁ、良かった、夢だ」となります。

こうした夢は相変わらず続いていますが、最近頻出するのが、架空の新聞・雑誌・ネット記事を読む夢です。先日見た夢には漫画『キン肉マン』の中で読者から不評で、打ち切りも匂わされたというシリーズ「アメリカ遠征編」について、新聞が6ページ使って批判するというものが登場しました。

防衛の専門家のような人物がなぜ、このシリーズがダメなのかを解説するのです。夢の中の私はこの論評をずっと読み続けます。途中、「キン肉マンがアメリカの税関を通るが、果たしてキン肉星人という宇宙人をアメリカの税関は通していいのか？　これは防衛の観点からしてすこぶるまずい」などと出てきます。

漫画の中でアメリカの税関を通るシーンはないので、私の脳が勝手にこのようなシーンを作ったわけですが、とにかくこの人物はこんなことを4ページも書くのです。最後の2ページは誰だかは分かりませんが、この専門家に賛同する人物と、シリーズは実は名作である、と擁護する人物が登場します。

この手の夢ばかり見ているため、最近ではさっぱり疲れが取れません。というのも、夢の中で文章を構成し続け、長く続くその文章を読むのだから。当然、夢の中でも自分は文章を構築し、それを辿っているのですから疲れるに決まっています。しかも、「それはさておきキン肉マンの粟展示誤報に旧帝国テレビ話法と梨のトータルプランニング」みたいな日本語としての体を成していない文章も出てきてしまうのです。

こんな文章を延々と夢の中で読まされる苦痛よ！　時々、「鳥取県川上市」といった言葉が出てきます。これまでにそんな地名を聞いたことがないだけに、「もしやオレは予知能力や、地球上のすべてのものを夢で見通す能力があるのでは！　あるいは、オレが見た夢は未来を予言しているのでは！」と興奮しながら起きてから「鳥取県川上市」を調べますが、そんな市があるわけない。

　本来睡眠とは身体のみならず精神をも休ませる行為なはずですが、少なくとも悪夢を見続ける限り、精神は休まらない。しかも、朝起きると6種類の夢を覚えていたりして、睡眠が浅かったことを窺わせます。

　一体コリャ、どうすれば治るんだ……。クワガタやネコとたわむれるような呑気な夢を見たいのにまったく見られない。睡眠外来に行くべきなのかもしれませんが、「マスクを着けなさい！」なんて居丈高な医師から言われるのもイヤなので行けない。それにしても「医療崩壊するぞ！」と散々医師から脅されて早や2年10ヶ月。はい、医療はしっかり崩壊しましたね。何せ熱がある人と咳が出る人は病院を受診できない国になったのですから。（2022/11/10）

◇コロナ禍で検診を控えた結果、がんが進行した形で見つかるケースが増えた、とのニュースがありました。がんは種類にもよるとはいえ、基本的には早期発見がベスト。コロナは本当に罪作りだと言えるでしょう。

脳にも休みは必要です

「ヤクルト1000」や「R－1」（明治）など、「睡眠の質を高める」効果が期待される商品がヒットしています。この傾向は良いですね。何しろ、ひと昔前は、「睡眠時間が少ないほどエラい・かっこいい」という風潮があったのだから。学校や会社に来るなり、「いやぁ～全然寝てないよ」や「今日で3徹だよ」などと言う男がいたものです。

昭和の芸能人も徹夜をした後にそのまま草野球をし、酒を飲みに行ったことを武勇伝のように話していました。しかし、当時から「それ、自慢になるの？」と思ったものです。何しろ、本当に寝ていないのであれば、生産性が落ちまくるし、大事な会議の時に居眠りしたら客先に失礼極まりない。

しかし、この「睡眠不足自慢」「寝てない自慢」というのは社会の空気が作ったものですね。何しろ、日本では「忙しいですか？」というのが相手を持ち上げる挨拶なのですから。これに対しては「いえいえ、ヤマダさんほど私は忙しくありませんよ」と謙遜する。本当に謎の文化です。

この亜流として、「〇〇さん、睡眠時間短そうですね」というホメ言葉が存在します。私の場合、この質問は30代後半以降何度も言われたものですが、毎度「オレ、毎日8時間寝てますよ」と答えました。

すると、なぜか相手は「いやいや……（あなたの日々の努力は分かってますよ）」と言う。このやり取りがまったく意味が分からないのですよ。長時間睡眠をする人間はふしだらで、根性が足りないという風潮があたかも存在するかのようです。ナポレオンが1日3時間しか寝なかったということから、この流れが生まれたのではないでしょうか。ナポレオンのように短時間しか寝ない人だからこそ、偉業を成し遂げることができたんだ、という話ですね。

堀江貴文氏は、長時間寝ることを公言しています。私の周囲だけの話かもしれないですが、堀江氏のような東大出身者および東大生は長時間寝るイメージがあります。そして寝つきがとにかく良い。学生時代、東大ＯＢの知人、東大生の友人の３人で、そのＯ

Bの別荘に毎年20泊ほどしていたのですが、この二人の寝つきの良さと朝の起きなさっぷりったら！　私より早く寝て、それでいて遅く起きる。

あと、私は会社員時代、なぜか東大の駒場寮に住んでいたのですが、その時もルームメイトの東大生はすぐ寝るし、長時間寝る。時々泊まりに来る東大生も同様です。これは睡眠の専門家が研究するに値するテーマなのかも、と思いました。いわゆる「頭のいい人は長時間寝る」という結論が出た場合、短時間睡眠を自慢する風潮は完全に消えることでしょう。

しかし、「長時間寝ただけでは頭は良くならない」という研究結果も合わせて必要です。何しろ勘違いした親が、短時間しか寝ない成績の悪い我が子に無理やり睡眠薬を飲ませ虐待のようなことをする、という事態が発生するかもしれません。

メディアには「我が子3人を全員東大に入れたお母さん」が登場し、その教育方法を述べています。しかし、あくまでもその3人が勉強が得意だっただけで、マネしても仕方ないのでは、と毎度この手の人の発言を見て感じるのです。（2023/01/05・12）

◇2018年の調査では、日本人の平均睡眠時間は約7・3時間でOECD加盟30か国中最下位。

脳には寝ている間に記憶を整理整頓する働きがあるといわれ、勉強にも仕事にも睡眠（できれば十分に長い）は欠かせないようです。

苦痛を正当化するのはやめよう

ソウル・梨泰院のハロウィン大混雑で150人超が亡くなった2日後の月曜朝、ツイッターのトレンドには「満員電車」が入りました。恐らくこの事故と満員電車を結びつける人が多かったのでしょう。テレビの専門家は、梨泰院では1平方メートルあたり10〜15人で、日本の満員電車は6人と言っていました。とはいっても、ツイッターでは満員電車で窒息しかけたという経験談を語る人や、女性車輛で「圧」が少なかったから助かったという声も。

それだけ満員電車が苦痛な人が多いのでしょうが、私なぞ「よくも耐えられるものだ……」と思います。新入社員の時、東京・立川駅からJR中央線に乗り、神田まで行き、山手線・京浜東北線で田町まで。ドアtoドアで1時間40分！　朝の大ラッシュの中央線は遅延が多く、とんでもない時間がかかってしまうのです。

座れることは稀で、常に押し合いへし合い。ドア近くにしか陣取れなかったら駅に停まる度に外に出なくてはいけない。足を踏んだな！　しょうがないだろ！　でケンカは発生するし、痴漢被害と痴漢冤罪の恐れもあるし、圧迫感は凄まじいし、口のクサいオッサンが目の前で呼吸をしているし……。

ひとたび人身事故や信号故障が起きてしまえば、数十分〜数時間の停車となる。車内アナウンスでは「今しばらくお待ちください」と目途は示されない。駅で停まってくれればまだよいのですが、駅と駅の間で停車してしまえば便所に行くことすら無理。

さすがに耐え切れず、1年で会社の近くに引っ越しました。恵比寿から山手線で5駅、一応満員電車でしたが、時間が短いことは救いに。しかし、コレも耐え切れず、9ヶ月で別の場所へ移り、自転車通勤になりました。フリーになってから会議は10時30分以降にしてもらい、よく行く取引先の近くに事務所を構え、満員電車とは完全にお別れできました。

満員電車って本来はここまで苦痛なものですが、人は様々な理由で満員電車の利用を正当化します。「定時に着くにはコレに乗るしかない」「他の皆も受け入れている」「私の給料では郊外にしか家を買えなかった」「電車の中で勉強をすれば有益だ」など。そして、もっともワケが分からないのが「鉄道会社だって満員電車を減らすために頑張っている」というものです。

いずれも本当は満足していないのに、あたかも満足しているかのように振る舞うことにより、自分の行動は理に適ってると信じ込む。でも、「満員電車が大好きです」なんて人がいるワケありません。

満員電車を受け入れることって、「下っ端」というだけで意味のないことを我慢する様に似ています。会社では、新入社員がなぜか朝一番早く来て先輩の机を拭いたり、昼食は買ってきた弁当で、電話番をしながら。それから、中1の時、卓球部に入ったのですが、ヒドかった。1学期、2年生が我々に課したのは毎日10キロ走ることと、腕立て伏せ、あとは「空気椅子」と呼ばれる廊下の壁に背中だけつけて屈む、ただの苦行。面白いダジャレを言わなければ解放してもらえない。ラケットを持つことは皆無。ええ、バカバカしいので、夏休みに辞めました。満員電車を1年で辞めたのと同じ理由です。苦痛はイヤです。(2022/11/17)

◇コロナで一気に広がったリモートワークですが、感染状況が落ち着くや、通常出社に戻す会社が続出しました。政府が進める「働き方改革」も、鉄道会社が長年呼びかける「時差出勤」もイマイチ浸透しないのは、すし詰めで仕事に向かう自分への承認欲求なのでしょうか。

「昭和オッサンムード」の心地よさ

匿名掲示板「5ちゃんねる」を覗くとなんだか居心地のよい空気が流れているんですよ。その理由が何かが最近までよく分からなかったのですが、先日〈【プロ野球】落合博満氏が選ぶ『歴代ベスト9』発表！　ライトはイチロー、ファーストは王貞治「一番悩んだのはショート」〉というスレッド（一つのテーマについて書き込む場所）を見て理解しました。

内容は3回三冠王を取った落合博満氏が、プロ野球の歴代ベスト9をＹｏｕＴｕｂｅで発表したところ、投手は金田正一氏、キャッチャーは野村克也氏、ファーストは王貞治氏、ライトはイチロー氏となったというもの。

当然、「いや、ショートは小坂誠（ロッテ）だろう」という意見が出ます。すると「守備だけ考えているわけではない」という反論が来る。さらには「なぜ山本浩二が入っていない」「松井秀喜はどうだ？」などの雑談が盛り上がるのですが、これが妙に49歳の私には心地いいんですよ。すると、私にとって心地よい理由が223番目のコメントを書いた人物により明らかになりました。

〈5ちゃんって何の話題にしろ21世紀の話に全くならないってすごいよな　こいつらのせいで数十年日本成長してないの丸わかり〉

そうなんです。私の感覚なのですが、5ちゃんねるの主力ユーザーが45歳～65歳ぐらいの男性で、同じ昭和の時代・平成初期に強烈な思い出を持っている人が集い、子供時代・若き時代のことを書くから心地よいのではないでしょうか。

何しろ、「この人間関係、北斗の拳にたとえたらどうなるのか教えてくれ」などと1980年代中盤～1990年代の『週刊少年ジャンプ』の話題がよく出る。他に出るのは『キン肉マン』『魁!!男塾』『聖闘士星矢』などでしょうか。

野球にしても1985年の阪神タイガースの伝説の「バース・掛布・岡田バックスクリーン3連発」が頻繁に語られるし、サッカーであれば「ドーハの悲劇」や「三浦カズ、

1998年W杯行けず」といった話題が多く出る。とにかく「昭和オッサンムード」が5ちゃんねるには溢れています。そりゃあ、若者はこんな場所に来ないですわ。
さて、落合氏にならって私も歴代ベスト9を書いておきます。落合氏は「（残した）数字で選んだ」と述べていました。つまり、長年プレーした選手を選んだということでしょう。私はあくまでも「自分が見たことのあるすごかった選手」で選んでみます。落合氏は二塁手として高木守道氏を選んでいます。確かに成績はオールラウンダー的にすごかったものの、プレーを見たことがない。
投手：伊藤智仁、捕手：城島健司、一塁：ランディ・バース、二塁：落合博満、三塁：村上宗隆、遊撃：松井稼頭央、レフト：タフィ・ローズ、センター：山本浩二、ライト：イチロー、DH：大谷翔平
前出の「223」氏は5ちゃんねるが結局はオッサンホイホイ（ごきぶりホイホイのごとくオッサンを引き寄せる装置）になっていることを指摘しています。まぁ、事実そうでしょうね。もはやオッサンが昔懐かしの茶飲み話をしている。しかし、5ちゃんねるのエロゲーム等に誘導する広告ですが、今後ユーザーが70代・80代になっても効果あるんですかね？　さすがに性欲衰えていませんかね。（2022/09/15）

◇日本経済が長らくデフレから脱却できず、平均賃金が伸びていない点だけを見ても、「数十年日本成長してない」との指摘はその通りなのかもしれません。オッサン世代を惹きつけるブラックホールのような存在が新たに生まれる可能性はあるのでしょうか。

「生きづらさ」と繊細さ

人間、ラクに生きるのが重要だとつくづく感じました。「生きづらさ」って言葉があるじゃないですか。私の友人・N氏は、繊細な方で、「相手が自分をどう思っているか」を先回りして考えるため、気を遣い過ぎてしまいます。

先日N氏と歩いていると、唐津の川の上の橋に70歳ぐらいの男性がいて、釣糸を垂らそうとしています。私は「ここで何が釣れるのか」と「エサはこの辺で買えるのか」の2点を知るため、この男性に話しかけました。まぁ、九州弁ってところもあるのですが、江戸っ子のN氏にはそれが攻撃的に聞こえたのかもしれません。

「何が釣れますか?」「ハゼが釣れるかもしれんな」「ここは釣れる場所ですか?」「知らん。ただ、後ろにアレ（洪水防止の簡易堰）が今はあるから釣れんかもしれんな」「じゃあ、釣れるところに行けばいいじゃないですか」「ワシはここで釣りたいんじゃ!」「エサはどこで買いましたか?」「材木町にあるんや」「店名は?」「知らんって!」「ありがとうございました!」

この後、すっかり黙り込んでしまったN氏。この男性のぶっきらぼうな口調が「我々に怒りを抱き攻撃している」と感じてしまったのです。私からすれば、いきなり喋りかけて質問攻めにする私の方が失礼だと思うのですが、N氏はそのように言いました。

私は「相手がどう思ってるかなんて分からないですよ。別に『お前ら、オレ様に喋りかけんな! このたわけ者が!』なんて攻撃していないでしょ? オレはあくまでも『何が釣れるの?』と『エサ売り場は近くにあるの?』の二つの情報が欲しかっただけで、あのオッサンはその情報をくれた。それでいいし、彼がどう思ってるかなんてどうでもいいです」と言いました。一応N氏は納得してくれたものの、「他人の心を勝手に予想し、落ち込むのはやめた方がいいですよ。それに、他人って自分に全然関心ないですから」とも伝えました。

あと、私の妻も唐津に来客がある時、店に悩みます。「せっかく遠くまで来るんだから、イカの活け造りとかがいいのでは。いや、佐賀牛がいいかな……」と。私は「イカの活け造りはあるかどうか分からないし、食べたいなら一人で行けばいい。むしろオレらの馴染みの店がいい。その方が唐津の良さを分かってくれるし、オレらがラクした方がいいよ」で終了。

私は本当に他人がどう思うかなんて気にしません。エレベーターでなんとなく他人に先に出てもらう、とかいうカルチャーがありますが、アレも無駄。入口近くの人が出ればいい。飲み屋でも上座・下座とかありますが、そんなのも関係なし。先に来た人間が自分の好きな席に座ればいいだけです。それに、この二つの件について、誰も「人生で守るべき掟」なんて思っておらず、「いや、気を遣わないでいいです」と考えている。あくまでも「失礼ではないか……」と勝手に相手が不快になるかもしれないよなァ、と脅えているだけです。

冒頭の「ラクに生きる」ですが、自分にできないことを規定してしまうのも手です。私の場合、身近なところでは食器洗いと洗濯。これは妻がいる時はやってもらいます。その代わり、食事作りと便所掃除は私がやる。そして互いに部屋の掃除は苦手なので、

この12年間、常に「汚部屋」であり続けていますが、二人とも快適です。（2022/12/01）

◇2023年初め、ニューヨークタイムズ紙が「2023年に行くべき52カ所」の第2位に岩手県盛岡市を取り上げました。「しばしば見過ごされ、無視される」当地の人々の「なぜ選ばれたのかわからない」といった反応も話題になりました。グルメ番組でもないかぎり、名物なんかにこだわらず、そのぐらいの感じでいいのかもしれません。

マウンティングなき世界で

オッサンになっても、バカなことを必死で一緒にできる仲間がいるのっていいですわ。2023年1月15日、唐津市の「海舟」という旅館兼飲食店で「大人の修学旅行」をやったんですよ。

この3年間のコロナバカ騒動が作り上げた閉塞感がイヤだな〜、でも周囲の人は「コロナが終わったらね……」と付き合ってくれない。ああ、どこかに気の合う仲間はいないのか！　と思っている全国の34名が集結。告知はツイッターで行いました。だから全国から人が来たのです。宴会料理を食べ、カラオケをし、マツケンサンバを踊りまくる。世界的格闘家・青木真也選手の格闘技トークショーも行うなど、終始笑顔に溢れていたのです。結局、朝まで宿で飲む人もいれば、唐津の繁華街に出る人もいる。実に幸せな現実逃避を皆がしたのでした。

参加者は基本的には、ツイッターで知り合った人々が中心で、唐津の運営スタッフ5名が迎え入れる形になりました。こうしたイベントは、唐津のミュージシャン兼ミカン農家の山崎幸治さんが企画をします。２０２２年2月から7回、一緒にイベントをしていますが、中学時代に戻ったかのような感覚なんですよね。夏、花火大会を見るイベントをやった時、「いい場所見つけたんで今から一緒に行きませんか？」と電話が来た。平日午後2時。そこから二人して山を登り、よさげな鑑賞スポットでゴザを敷いてビール。

「なんでオレを誘ったんですか？」と言ったら「中川さん以外に突然行ける人なんておらんやろうよ」と笑い合ったのです。

今、「修学旅行」の写真を見ながら原稿を書いていますが、もう、まともな大人がやることとは思えない。集合写真を店の女将も含めて全員で撮り、1次会終了後は雑魚寝部屋で宴会開始。シリアスな話もバカ話もする中、次々と酔い潰れる人間が出てきてはズルズルと引っ張って布団に連れて行く。

「うわ、酒がなくなった！」となれば、誰かがコンビニへ買いに行き、朝まで宴会は続くのでした。翌朝は3台の車に分乗し、波戸(はど)岬という風光明媚な岬のサザエ小屋でサザエ・イカの一夜干し・カキを食べてはビールうぐうぐ。

さらに飲み足りない人間は唐津市内に戻って再び宴会。帰るのが面倒くさくなってしまった人は本来の予定を変更し、一泊追加！

すべては山崎さんの思い付きで「大人の修学旅行をやりたい。そして、そこには大物ゲストを呼びたい。中川さん、知り合いいない？」から開始。そこで青木さんに声がけをしたら快諾してくれたのでした。

本当に不思議なのですが、今、唐津で遊んだり、こうしたイベントを企画する中核メンバーの職業はミカン農家・青果市場勤務・薬剤師・看護師・ＪＡ勤務・水道管工事・ライター／編集者（私）で、年齢はこのうち3人が私と同じ49歳。他に50歳2人、42歳、36歳。

今回、唐津に来た人々も職業が何なのかわからない人が多いし、年齢もバラバラ。唐津の参加者のうち運営スタッフ以外だと、ステーキ店店主・その人のジムの先生・ジム仲間・宝くじ販売業など、これまた一貫性がない。

思えば東京時代、同業者のメディア関係者や広告関係者とばかりつるんでいましたが、「今、オレはこんなでっかい仕事してるんだぜ（お前、オレほどデカい仕事してねぇだろ）」的なマウンティングがどこかあったように思います。それは闘志に火が点く面もあり悪くなかったのですが、ある程度の年齢になると今の状態の方が楽に生きられます。何しろ付き合う人々がライバルではないのですから。（2023/02/02）

◇学歴やキャリア、車やペットや見た目の若さ等など、世の中にマウンティングのタネは尽きませんが、どこまで行っても他人との比較。疲れるだけではないでしょうか。

あとがき

過剰反応だらけの世界を振り返ってきましたが、今は拍子抜けしています。本稿執筆時、博多祇園山笠と京都の祇園祭の大混雑の様子が報じられました。完全に「密です！」状態で何万人もの人々がギッシリすし詰め状態になっている。そしてマスクはしていない。

2022年8月、マスクをせず実施した阿波踊りでクラスターが発生した、と医クラ（医療従事者クラスター）がツイッターで大騒ぎしていましたが、今回はなぜ問題視しないのか？　結局「空気」の問題なんですよ。ありゃ、マスクしない人増えてきたな、オレも外すか、なんてことを多くの人が感じた結果、「マスクを外してもいい」という空気に。

しかし23年7月、地下鉄大江戸線に二重マスク、サングラス、軍手、ビニール袋に荷物を入れた高齢女性が乗客に「マスク着けて！」と絶叫し、挙句の果てには非常停止ボタンを押す騒ぎが発生しました。彼女の中ではコロナはまだ恐怖のウイルスで、マスクをしない人間は自分の命を脅かす危険な存在と認識しているのでしょう。外出るな。コロナ騒動開始からの3年半は壮大なるパニック実験でした。そして、いかに人間を、特に日本人を洗脳するのが簡単であるかも示した形となりました。

エラい人・権威による「設定」だけでアホンジン（自分の頭で考えない日本人）はいくらでもコントロール可能なのです。思い出されるのが「納豆を食べるとやせる」と『発掘！あるある大事典Ⅱ』（フジテレビ系）が特集したら各地のスーパーで納豆がなくなったこと。後に捏造がバレ、番組は終了に追い込まれましたが、とにかくテレビはすべて正しいということになってしまう。

20年8月、大阪府の吉村洋文知事はポビドンヨード入りうがい薬を使用するとコロナ対策に効果がある旨を発表。イソジン的なものですね。すると、これらうがい薬が店の棚から消えた。その後訂正しましたが、正直イソジンが効くことにしたうえで、「日本古来の米・野菜・魚・大豆・海藻といった食事がコロナに効く」なんて言っておけばよかったんですよ。

なにしろ日本人はコロナに強かった。他国が数十万人亡くなっている中、日本は20年末で約3500人。しかもほとんどが高齢者。突然スポットライトを浴びた感染症対策の専門家は高揚感を得て国民に生活指導をした。政府の分科会の尾身茂氏なんて「やっぱり大変だが楽しい、やりがいがある」と若者向けのメッセージで言う始末。
それなのに国民は専門家を信じ続け、マスクを外さずワクチンを打ち続けた。さて、今度はどんな設定にアホは騙されるんですかね。「2029年7の月、恐怖の大王が降りてくる」と「シン・ノストラダムスの大予言」でもやりますか。それでは皆さん、失礼します。

2023年7月

中川淳一郎

中川淳一郎　1973（昭和48）年東京都生まれ。博報堂を経て独立し、現在は佐賀県唐津市在住のネットニュース編集者。著書に『ウェブはバカと暇人のもの』『よくも言ってくれたよな』など。

Ⓢ新潮新書

1010

過剰反応な人たち

著者　中川淳一郎

2023年9月20日　発行

発行者　佐藤隆信

発行所　株式会社 新潮社

〒162-8711　東京都新宿区矢来町71番地
編集部(03)3266-5430　読者係(03)3266-5111
https://www.shinchosha.co.jp

装幀　新潮社装幀室

印刷所　株式会社光邦

製本所　加藤製本株式会社

ISBN978-4-10-611010-8 C0230

価格はカバーに表示してあります。